PERDENDO-ME

Cora Carmack

Tradução

Ana Death Duarte

Novo Conceito

Esta é uma obra de ficção. Nomes, personagens, lugares e acontecimentos descritos são produto da imaginação do autor. Qualquer semelhança com nomes, datas e acontecimentos reais é mera coincidência.

1ª Impressão — 2014

Produção editorial:
Equipe Novo Conceito
Impressão e Acabamento Prol 010714

Este livro segue as regras da Nova Ortografia da Língua Portuguesa.

Dados Internacionais de Catalogação na Publicação (CIP)
(Câmara Brasileira do Livro, SP, Brasil)

Carmack, Cora
Perdendo-me / Cora Carmack ; tradução Ana Death Duarte. -- Ribeirão Preto, SP : Novo Conceito Editora, 2014.

Título original: Losing it
ISBN 978-85-8163-527-9

1. Ficção norte-americana I. Título.

14-04271 CDD-813

Índices para catálogo sistemático:
1. Ficção : Literatura norte-americana 813

Novo Conceito
Rua Dr. Hugo Fortes, 1.885 – Parque Industrial Lagoinha
14095-260 – Ribeirão Preto – SP
www.grupoeditorialnovoconceito.com.br

PERDENDO-ME

CAPÍTULO 1

INSPIRO FUNDO.

Você é incrível!

Eu meio que não acreditava, então pensei de novo.

Incrível. Você é incrível.

Se minha mãe ouvisse meus pensamentos, ela me diria que preciso ser humilde, mas a humildade não havia me levado a lugar nenhum.

Bliss Edwards, você é tremendamente atraente.

Então como foi que acabei, com vinte e dois anos de idade, sendo a única pessoa que eu conhecia que nunca tinha feito sexo na vida? Em algum ponto entre *Saved by the Bell* e *Gossip Girl,* não se ouvia falar de uma garota que se formasse na faculdade e ainda permanecesse virgem. E agora, lá estava eu, parada e em pé no meu quarto, me arrependendo de ter reunido a coragem para admitir esse fato à minha amiga Kelsey. A reação dela foi como se eu tivesse lhe dito que estava escondendo um rabo debaixo da minha saia trapézio. E eu soube, antes mesmo de o queixo dela terminar de cair, que essa era uma ideia terrível.

— SÉRIO? É por causa de Jesus? Tipo, você está se guardando para ele?

Para Kelsey, que tinha o corpo de uma Barbie e o cérebro sexualmente carregado de um garoto adolescente, sexo parecia algo mais simples.

— Não, Kelsey — falei. — Seria um pouco difícil me guardar para alguém que morreu há mais de dois mil anos.

Kelsey tirou a blusa com a maior rapidez e jogou-a no chão. Eu devo ter feito alguma careta, porque ela olhou para mim e deu risada.

— Relaxa, Princesa Pureza, eu só estou trocando de blusa.

Ela deu um passo para dentro do meu *closet* e começou a analisar as minhas roupas.

— Por quê?

— Porque, Bliss, nós vamos fazer com que você vá pra cama com alguém.

Ela disse as palavras "vá pra cama com alguém" curvando a língua de um jeito tal que me lembrou aqueles comerciais de disque-sexo que passavam tarde da noite na TV.

— Ah, Jesus, Kelsey!

Ela puxou uma blusa que ficava justa em mim e que ficaria pura e simplesmente escandalosa em seu corpo cheio de curvas.

— O que foi? Você disse que isso não tinha nada a ver com Jesus.

Resisti ao impulso de estapear minha testa.

— Não é, eu não acho que... quero dizer, eu vou à igreja e tal, e, bem, às vezes. É só que eu... Eu não sei. Nunca estive tão interessada assim.

Ela parou o que estava fazendo, com a nova blusa que acabava de colocar e ainda estava no meio da cabeça.

— Nunca esteve interessada? Em rapazes? Você é lésbica?

Uma vez eu escutei sem querer minha mãe, que não consegue entender por que eu estou prestes a me formar na faculdade sem um anel de noivado no dedo, fazer essa mesma pergunta a meu pai.

— Não, Kelsey, eu não sou lésbica, então pode continuar a vestir sua blusa. Você não precisa pegar uma espada e cometer suicídio sexual por mim.

— Se você não é lésbica, e isso não tem nada a ver com Jesus, então é só uma questão de encontrar o cara certo, ou eu deveria dizer... a espada sexual certa.

Revirei os olhos.

— Que droga! Isso é tudo? Encontrar o cara certo? Por que ninguém me falou isso antes?

Ela puxou seus cabelos loiros para trás e fez um alto rabo de cavalo, o que, de alguma forma, chamava ainda mais a atenção para o peito dela.

— Eu não estou falando do cara certo para se casar, docinho. Estou falando do cara certo para agitar esse sangue aí nas suas veias. Para fazer com que você desligue esse seu cérebro analítico, intolerante e hiperativo e em vez disso pense com o corpo.

— Corpos não pensam.

— VIU?! — disse ela. — Analítica. Intolerante.

— Ok, ok! Qual é o bar da noite?

— Stumble Inn, é claro.

Soltei um gemido.

— Classudo.

— Que foi?

Kelsey olhou para mim como se eu não soubesse a resposta a uma pergunta realmente óbvia.

— É um bom bar. E o mais importante: é um bar do qual os rapazes gostam. E, já que nós *realmente* gostamos de rapazes, nós gostamos desse bar.

Poderia ser pior. Ela poderia estar me levando a uma casa noturna.

— Ok, vamos.

Eu me levantei e me dirigi até a cortina que separava o meu quarto do restante do meu loft.

— Ei! Ei! — Ela me agarrou pelo cotovelo e me puxou com tanta força que eu caí para trás, na minha cama. — Você não pode ir assim!

Baixei o olhar para analisar o meu visual: saia trapézio florida com uma regata simples que deixava à mostra uma boa parte da fenda entre meus seios. Eu estava bonitinha. Claro que eu conseguiria fisgar um cara com essa roupa... bem, era possível.

— Eu não vejo qual é o problema — falei.

Ela revirou os olhos e eu me senti como se fosse uma criança. Eu odiava me sentir assim, e era bem... sempre o que acontecia quando a conversa se voltava para o assunto "sexo".

Kelsey disse:

— Docinho, agora mesmo você está parecendo uma adorável irmã caçula. Nenhum cara quer trepar com a irmãzinha dele. E, se ele quiser fazer isso, você não vai querer nem um pouco ficar perto dele.

É... definitivamente, eu me sentia como se fosse uma criança.

— Bem observado.

— Humm... parece que você está treinando isso de desligar esse seu cérebro hiperativo. Bom trabalho. Agora fica aqui em pé e me deixa fazer a minha mágica.

E, com mágica, ela queria dizer tortura.

Depois de vetar três blusinhas que faziam com que eu me sentisse uma prostituta, algumas calças que mais pareciam *leggings*, e uma saia tão curta que ameaçava mostrar ao mundo a minha perseguida no caso de uma leve brisa que fosse, acabamos ficando com uma calça capri de denim de cintura baixa e uma regata preta rendada que se destacava, em contraste com a minha pele branca e pálida.

— Pernas depiladas?

Assenti.

— Outras... coisas... depiladas?

— Até o máximo que algum dia estará depilada... sim, agora, vamos mudar de assunto.

Foi assim que estabeleci os limites dessa conversa.

Kelsey abriu um largo sorriso, mas não discutiu.

— Tudo bem, tudo bem. Camisinhas?

— Na minha bolsa.

— Cérebro?

— Desligado. Ou, bem... desacelerado, seja como for.

— Excelente. Eu acho que estamos prontas.

Eu não estava pronta. Nem um pouco.

Havia uma razão pela qual eu não havia feito sexo ainda, e agora eu sabia qual era. Eu era obsessiva por controle. Era por isso que eu tinha ido tão bem em toda a minha vida escolar. Isso havia feito de mim uma excelente diretora de cena, ninguém conseguia dirigir um ensaio de teatro como eu. E, quando criei coragem para atuar, eu sempre estava mais preparada do que qualquer ator na classe. Mas sexo... era o oposto de controle. Havia emoções e atração e aquela incômoda outra pessoa que simplesmente *tinha* que estar envolvida. Não era a minha ideia de diversão.

— Você está pensando demais — disse Kelsey.

— É melhor do que não pensar o suficiente.

— Não, nesta noite, não é não — disse ela.

Aumentei o volume do iPod da Kelsey assim que entramos no carro, de modo que eu pudesse pensar em paz.

Eu conseguiria fazer isso. Tratava-se apenas de um problema que precisava ser resolvido, um item que eu precisava riscar da minha lista de coisas a fazer.

Era simples assim.

Simples.

Mantenha as coisas no nível simples.

Estacionamos do lado de fora do bar vários minutos depois, e a noite parecia tudo, menos simples. Minha calça parecia apertada demais, minha blusa, decotada demais, e meu cérebro, anuviado demais. Eu queria vomitar.

Eu não queria ser virgem. Disso eu sabia. Eu não queria me sentir a pudica imatura que não sabia nada sobre sexo. Eu odiava não saber das coisas. O problema era que... por mais que eu não quisesse ser virgem, eu também não queria fazer sexo.

O enigma dos enigmas. Por que isso não poderia ser como um problema do tipo "um quadrado é um retângulo, mas um retângulo nem sempre é um quadrado"?

Kelsey estava parada do lado de fora da minha porta, batendo no chão com seus sapatos de salto alto, acompanhando o ritmo do estalar de seus dedos, enquanto ela me incitava a sair do carro. Endireitei os ombros, joguei os cabelos para trás (meio sem ânimo), e acompanhei Kelsey bar adentro.

Segui ziguezagueando direto até o bar, sentei-me em uma banqueta, e chamei o barman com um aceno.

Ele era uma possibilidade. Cabelos loiros, compleição corporal média, belo rosto. Nada de especial, mas certamente não estava fora de questão. Ele poderia ser bom para algo simples.

— O que eu posso pegar para vocês, meninas?

Sotaque sulista. Definitivamente um garoto da casa.

Kelsey se intrometeu:

— Precisamos de duas doses de tequila, pra começar.

— Traga quatro — resmunguei.

Ele soltou um assovio e seus olhos se encontraram com os meus.

— Uma noite daquelas, não é?

Eu não estava preparada para colocar em palavras que tipo de noite era essa. Então, eu apenas disse o seguinte:

— Estou procurando um pouco de coragem líquida.

— E eu ficaria feliz em ajudá-la.

Ele piscou para mim, e mal tinha se afastado quando Kelsey começou a dar pulinhos em seu assento, dizendo:

— É ele! É ele!

As palavras dela me fizeram sentir como se eu estivesse em uma montanha russa, como se o mundo tivesse acabado de cair e todos os meus órgãos estivessem tentando voltar aos seus devidos lugares. Eu só precisava de mais tempo para me ajustar. Só isso. Agarrei o ombro de Kelsey e forcei-a a ficar quieta.

— Relaxa, Kels. Você está parecendo um chihuahua doido.

— Que foi? Ele é uma boa opção. Bonitinho. Legal. E eu totalmente o vi olhando de relance para a fenda entre os seus seios... DUAS VEZES!

Ela não estava errada, mas, ainda assim, eu não estava totalmente interessada em dormir com ele, o que eu supunha que não deveria excluí-lo da equação, mas isso, com certeza, seria, ah, um inferno! Seria muito mais fácil se eu, na verdade, estivesse *interessada* no cara. Falei:

— Não tenho certeza... simplesmente não estamos trocando faíscas. — Eu podia ver que ela ia revirar os olhos, então rapidamente eu acrescentei um: — Ainda!

Quando o barman voltou com os nossos drinques, Kelsey pagou por eles e eu tomei as minhas duas doses antes mesmo de ela entregar a comanda a ele, que permaneceu ali por um instante, sorrindo para mim, antes de ir atender um outro cliente. Roubei uma das doses de Kelsey que haviam sobrado.

— Você está com sorte de que esta é uma grande noite para você, Bliss. Normalmente, ninguém fica entre mim e a minha tequila.

Estirei a mão e disse:

— Bem, ninguém vai ficar entre essas pernas a menos que eu esteja bem bêbada, então pode me passar essa última dose aí.

Kelsey balançou a cabeça em negativa, mas ela estava sorrindo. Depois de alguns segundos ela cedeu e, com quatro doses de tequila no meu sistema, o prospecto de fazer sexo parecia um pouco menos assustador.

Dessa vez foi uma mulher que veio nos atender, e pedi um Jack Daniel's com Coca-Cola para ficar bebericando enquanto eu descortinava essa bagunça toda.

Havia o barman, mas ele não sairia dali até lá pelas duas da manhã. Eu já estava devastada pelo nervosismo, então, se isso se arrastasse até a madrugada, eu estaria completamente psicótica. Eu podia simplesmente imaginar a cena: colocada numa camisa de força por causa de sexo.

Havia um cara parado a meu lado que parecia se mover alguns centímetros mais para perto de mim a cada vez que eu bebia um pouco, mas ele parecia ter pelo menos uns quarenta anos. Não, obrigada.

Eu engoli mais um pouco do meu drinque, agradecida porque a *barwoman* havia pegado pesado na quantidade de Jack, e analisei o bar.

— E quanto a ele? — quis saber Kelsey, apontando para um cara em uma mesa ali perto.

— Muito com cara de colegial.

— Ele?

— *Hipster* demais.

— Aquele lá?

— Eca! Muito peludo.

A lista continuava até que eu tive plena certeza de que a noite tinha sido um fiasco. Kelsey sugeriu que fôssemos para um outro bar, e isso era a última coisa que eu queria fazer. Eu disse a ela que tinha que ir ao banheiro, e nutria esperanças de que alguém fosse chamar a atenção dela enquanto eu não estivesse lá, de modo que eu poderia cair fora sem drama. O banheiro ficava lá nos fundos, passando pela área da piscina e do jogo de dardos, uma parte com algumas pequenas mesas redondas.

Foi então que eu o notei.

Bem, tecnicamente, notei o livro primeiro.

E simplesmente não consegui manter a boca fechada.

— Se isso é para ganhar as garotas, eu sugiro que você vá para uma área onde circulam mais pessoas.

Ele ergueu o olhar de sua leitura, e, de repente, achei difícil engolir. Ele era facilmente o cara mais atraente que eu tinha visto essa noite, com seus cabelos loiros caindo por cima de límpidos olhos azuis, apenas um pouco de barba no maxilar para lhe dar um ar masculino sem que o tornasse barbudo demais, e um rosto que poderia ter feito anjos cantarem. Um rosto que não me fazia cantar. Fazia com que eu o observasse com admiração, como uma boboca. Por que parei? Por que eu sempre tinha que bancar a idiota?

— Como?

A minha mente ainda processava os seus cabelos perfeitos e seus brilhantes olhos azuis, então demorei um segundo para dizer:

— Shakespeare. Ninguém lê Shakespeare em um bar, a menos que seja um esquema para conseguir garotas. Tudo o que estou dizendo é que você poderia ter mais sorte lá na frente.

Ele não disse nada por um longo instante, mas então sua boca se partiu em um largo sorriso, revelando... quer saber o quê? Dentes perfeitos!

— Não é um esquema para pegar garotas, mas, se fosse, parece que estou tendo a maior sorte aqui mesmo.

Sotaque. ELE TEM SOTAQUE BRITÂNICO. Santo Deus, estou morrendo.

Respirar. Eu precisava respirar.

Não perca o controle, Bliss.

Ele colocou o livro de lado, mas não sem antes marcar onde havia parado. Meu Deus, ele realmente estava lendo Shakespeare em um bar!

— Você não está tentando pegar uma garota?

— Eu não estava...

O meu cérebro analítico não deixou passar o fato de que ele usou o verbo no passado. Como em... ele não estava tentando seduzir ninguém antes, mas talvez estivesse agora.

Olhei de novo para ele que estava sorrindo agora, com dentes brancos e uma barba rala que o tornava pura e simplesmente delicioso. É, eu estava definitivamente seduzida. E esse único pensamento foi o bastante para me fazer ficar chocada.

— Qual é o seu nome, amor?

Amor? AMOR! Ainda morrendo aqui.

— Bliss.

— E isso faz parte de uma cantada?[1]

Eu me ruborizei adquirindo um tom carmesim.

— Não, esse é o meu nome mesmo.

— Um nome adorável para uma garota adorável.

O timbre da voz dele alcançou aquele registro baixo que fazia as minhas entranhas curvarem-se para dentro de si mesmas... era como se o meu útero estivesse sapateando em uma dança de felicidade sobre o restante dos meus órgãos. Meu Deus, eu estava morrendo... a mais longa, tortuosa e excitante morte na história do mundo. Essa é a sensação de estar com tesão? Não é de se admirar que o sexo leva as pessoas a fazerem loucuras.

— Bem, Bliss, eu sou novo na cidade, e já consegui me trancar para fora do meu apartamento. Para falar a verdade, estou esperando um chaveiro e pensei em fazer um bom uso desse tempo livre.

— Atualizando sua leitura de Shakespeare?

---

[1] *Bliss*, em inglês, quer dizer felicidade, êxtase, glória. (N. T.)

— Tentando, de qualquer forma. Para ser honesto, eu nunca gostei tanto assim do sujeito, mas vamos manter isso como um segredo entre nós, certo?

Tenho plena certeza de que as minhas bochechas ainda estavam vermelhas, se o calor que emanava delas fosse algum indicativo. Na verdade, parecia que meu corpo inteiro estava em chamas. Não sei ao certo se era mortificação ou se o sotaque dele fez com que eu sofresse uma combustão espontânea na frente dele.

— Você parece desapontada, Bliss. Você é fã de Shakespeare?

Assenti, porque a minha garganta podia estar se fechando.

Ele torceu o nariz em resposta, e as minhas mãos estavam coçando para seguirem a linha do nariz dele até os seus lábios.

Eu estava ficando maluca. Para falar a verdade, comprovadamente insana.

— Não me diga que você é fã de *Romeu e Julieta*!

Agora, isso. *Isso sim* era algo que eu conseguiria discutir.

— *Otelo*, para falar a verdade. É a minha peça predileta dele.

— Ah, a bela Desdêmona. Leal e Pura.

O meu coração bateu descompassado por um instante quando ouvi a palavra "pura".

— Eu, hum... — Eu me esforcei para juntar os pedaços dos meus pensamentos. — Eu gosto da justaposição de razão e paixão.

— Eu mesmo sou um fã da paixão. — Os olhos dele voltaram-se para baixo então, e ele percorreu com eles a extensão do meu corpo. Senti um formigamento na coluna até parecer que essa sensação poderia irromper pela minha pele afora. — Você não perguntou o meu nome — disse ele.

Pigarreei. Isso não poderia ser algo atraente. Eu era quase tão sociável quanto um homem das cavernas. Perguntei:

— Qual é o seu nome?

Ele inclinou a cabeça e seus cabelos quase cobriram seus olhos.

— Junte-se a mim e eu lhe direi.

Eu não pensei em nada além do fato de que as minhas pernas pareciam gelatina, e que me sentar me impediria de fazer algo embaraçoso como desmaiar por causa do influxo de hormônios que estava fazendo uma ebulição no meu cérebro. Afundei na cadeira, mas em vez de alívio, a tensão elevou-se a mais um nível.

Ele falou, e meus olhos se depararam com os lábios dele:

— Meu nome é Garrick.

Quem diria que um nome também podia ser sexy?

— É um prazer conhecê-lo, Garrick.

Apoiando-se em seus cotovelos, ele inclinou para a frente, e eu notei seus ombros largos, e a forma como seus músculos se moviam sob o tecido de sua camisa. Então nossos olhos se conectaram, e o bar à nossa volta passou de turvo para escuro, enquanto eu era aprisionada por aquela melancolia.

— Eu vou comprar um drinque para você. — Isso não era para ser uma pergunta. Na verdade, quando ele olhou para mim, não havia nada questionador nele, de forma alguma, apenas confiança. — E então poderemos conversar um pouco mais sobre razão e... paixão.

CAPÍTULO 2

Eu não saberia dizer se a sensação de ardência no meu peito tinha a ver com o olhar velado que Garrick estava dirigindo a mim ou se era por causa do restante do meu Jack com Coca que eu acabara de engolir como se fosse água.

Um garçom chegou, atendendo ao sinal feito por Garrick, e eu levei um instante para fazer um discurso motivacional silencioso para mim mesma enquanto ele pedia um drinque para ele.

— Bliss? — Garrick prontamente me chamou.

Sua voz provocava uma onda de calafrios que me transcorria inteira.

Ergui o olhar para ele e depois para o garçom, que por acaso era o barman de antes. Abri a boca para pedir um outro Jack com Coca, mas o barman me interrompeu com a mão no meu ombro.

— Eu lembro. Jack com Coca-Cola, não é?

Assenti, e ele me lançou uma piscadela e um sorriso. Fiz uma pausa e fiquei imaginando por um segundo como ele sabia qual era o meu pedido. Eu tinha plena certeza de que a garota era quem havia me servido a última vez. Ele ainda sorria para mim, então eu me forcei a falar alguma coisa.

— Obrigada, hum...

— Brandon — disse ele.

— Obrigada, Brandon.

Ele olhou de relance para Garrick, e depois tornou a se focar em mim.

— Eu deveria dizer à sua amiga lá na frente que você está aqui atrás?

— Ah, hum, certamente, acho que sim.

Brandon sorriu em resposta, e ficou lá me encarando por alguns segundos, antes de se dirigir de volta ao bar. Eu sabia que tinha que olhar para Garrick de novo, mas estava aterrorizada com a possibilidade de me desfazer em uma poça de excitação e falta de jeito se me deparasse com aqueles maravilhosos olhos dele outra vez.

Ele disse:

— Sabe, às vezes eu me pergunto se Desdêmona era mesmo tão inocente quanto deixava transparecer. Talvez ela soubesse do efeito que tinha sobre os caras e gostava de deixá-los com ciúmes.

Eu me deparei com os olhos dele então, e eles estavam estreitados, me estudando.

Engoli o meu nervosismo e eu mesma fiquei estudando-o em resposta.

— Ou talvez ela apenas estivesse intimidada pela intensidade de Otelo e não soubesse como conversar com ele. Comunicação é a chave, afinal.

— Comunicação, é?

— Isso poderia ter resolvido muitos dos problemas deles dois.

— Nesse caso, eu vou me esforçar para ser o mais claro possível. — Ele pegou a sua cadeira e colocou-a a meros centímetros da minha. Ele foi chegando de fininho ao meu lado e disse: — Eu preferiria que você não voltasse lá pra perto da sua amiga. Fique aqui comigo.

"Engula a saliva, Bliss", eu disse a mim mesma, "você tem que engolir a saliva ou pode começar a babar."

— Bem, a minha amiga está me esperando. O que vamos fazer se eu ficar aqui?

Ele esticou a mão e jogou os meus cabelos por sobre meu ombro. Ele passou a mão pelo meu pescoço, fazendo uma pausa no ponto da minha pulsação, que deveria estar uma loucura.

— Nós podemos conversar sobre Shakespeare. Podemos conversar sobre qualquer coisa que você quiser. Embora eu não possa prometer que não serei distraído pelo seu adorável pescoço. — Os dedos dele viajavam pelo meu maxilar, até alcançarem meu queixo, que ele puxou para a frente com a pressão de seu indicador. — Ou seus lábios. Ou esses seus olhos. Eu poderia cortejá-la com histórias sobre a minha vida, como Otelo com Desdêmona.

Eu já estava sendo suficientemente cortejada. Minha resposta saiu em uma voz embaraçosamente rouca:

— Eu preferiria não traçar um paralelo da nossa noite com a de um casal cuja história terminou em assassinato/suicídio.

Ele abriu um largo sorriso e tirou o dedo do meu queixo. Minha pele ardia, quente, onde ele havia me tocado, e eu tinha que me impedir de me inclinar para a frente para seguir o toque dele.

— *Touché*. Eu não me importo com o que vamos fazer, contanto que você fique.

— Ok. — Eu estava imensamente orgulhosa de haver conseguido dar uma resposta calma em vez de soltar o "*Ah, meu Deus, sim, eu farei o que você pedir*" que passava pela minha cabeça no momento.

— Talvez eu devesse ficar trancado para fora do meu apartamento com mais frequência.

Eu preferiria que nos trancássemos lá dentro, para falar a verdade.

Meu bolso começou a vibrar, e eu corri para atender o celular antes que aquele meu vergonhoso toque de *boy band* começasse a tocar.

— Sim?

— Você desmaiou ou o quê?

Era Kelsey.

— Não, Kelsey, não desmaiei. Escuta, por que você simplesmente não vai para casa sem mim?

Os olhos de Garrick ficaram escuros e minha respiração ficou abruptamente mais forte quando o olhar dele desceu até meus lábios.

— Você não vai conseguir se safar dessa, Bliss. Você vai transar essa noite, nem que eu mesma tenha que fazer isso.

Meu Deus, será que ela não poderia falar um pouco mais alto? Eu achei que o Garrick havia ouvido aquilo, mas em momento algum os olhos dele deixaram os meus lábios.

— Isso não será necessário, Kels.

Tentei pensar em uma forma cifrada de dizer a ela que eu já tinha encontrado o meu cara, quando ouvi uma tomada de ar seguida disso:

— AH. MEU. DEUS!

Olhei de relance por cima do ombro para Garrick, a tempo de ver o sorriso de Kelsey ficando mais largo, e o grosseiro gesto que veio em seguida.

— É, ok, então a gente se fala depois, certo, Kels?

— Ah, com certeza a gente se fala depois! Você vai me ligar e me contar todos os fatais e maravilhosos detalhes!

— Veremos.

— É melhor que você veja muita coisa essa noite, docinho. Espero que os seus olhos estejam plenamente abertos depois do encontro desta noite.

Desliguei sem responder.

— Sua amiga? — ele me perguntou.

Apenas assenti com um movimento da cabeça, porque o olhar fixo dele nesse instante fazia meu sangue ferver. Nunca na minha vida senti tanto tesão por alguém que nem mesmo estava me tocando. Ondas de sexo emanavam daquele homem, e fiquei surpresa ao descobrir o quanto eu estava interessada em aprender a nadar naquele oceano.

— Você vai ficar aqui comigo?

Assenti novamente, com todos os músculos no meu corpo ficando tensos. Se ele não me beijasse logo, eu ia explodir. Logo quando achei que ele poderia me beijar, o barman voltou com nossos drinques. Ele apareceu com um sorriso no rosto, que se desfez quando ele viu o quão próximos eu e Garrick estávamos.

— Desculpem-me por ter demorado tanto. Está muito cheio lá na frente.

Eu me prendi à distração.

— Sem problemas, Brandon.

— Certo. Precisa de mais alguma coisa?

— Não, estou de boa.

Brandon voltou os olhos para Garrick, e então ele se inclinou um pouco mais para perto de mim.

— Tem certeza?

— Nós temos certeza — Garrick acrescentou sumariamente antes de entregar algumas notas a Brandon. — Fique com o troco.

Brandon foi até mais um casal que estava a umas poucas mesas de distância da nossa, e então seguiu em direção à frente do bar novamente. Quando ele estava fora do alcance de ouvir o que eu ia dizer, eu me voltei para o Garrick. Notei que ele havia apoiado o braço em volta da minha cadeira.

— Você é do tipo ciumento, Garrick?

— Na verdade, não.

Ergui uma das sobrancelhas e ele sorriu, um sorriso sem vergonha. Ele disse:

— Talvez essa discussão sobre Otelo tenha me deixado um pouquinho tenso.

— Então vamos falar sobre alguma outra coisa. A que horas o chaveiro disse que estaria no seu apartamento?

Ele lançou um breve olhar para seu relógio, e aproveitei a oportunidade para olhar para a incrível compleição dos braços dele.

— Ele deve estar por lá muito em breve.

— Você não deveria ir até lá e esperar por ele?

Estava difícil identificar precisa e exatamente o que eu queria naquele instante. Definitivamente eu gostava dele, e definitivamente eu queria que ele me beijasse, mas estava tão acostumada a sabotar coisas assim de modo que nunca fossem muito longe. Eu sempre procurava por uma porta dos fundos, para sair à francesa da situação.

— Você está tentando se livrar de mim?

Inspirei fundo. Nada de recuar. Nada de saídas pelos fundos, não dessa vez. Mordi o lábio e olhei para ele. Eu esperava que ele não fosse capaz de ler o medo que soava como uma melodia por baixo da minha fachada de confiança. Falei:

— Eu acho que *nós* poderíamos ir até lá esperar por ele.

Ele olhou para os meus lábios outra vez. Morrendo... eu estava morrendo para que ele me beijasse.

— Muito melhor. — Ele levantou-se e me ofereceu o seu braço. — Minha dama?

— Você não quer terminar os nossos drinques?

Ele pegou a minha mão e pressionou os lábios na parte interna do meu pulso.

— Eu já estou embriagado.

Dei risada, porque a cantada era ridícula (e porque eu não queria admitir que ainda assim, funcionava).

Ele abriu um largo sorriso.

— Fui longe demais? O que eu posso dizer... o Bardo me deixa propenso às falas dramáticas.

— Vamos tentar um pouco de realismo em vez disso.

Ele disse:

— Acho que consigo fazer isso.

Eu mal havia processado as palavras dele quando ele me puxou da cadeira e cobriu minha boca com a dele. Seu cheiro me sobrepujava — cítrico e de couro e de alguma outra coisa que fazia a minha boca aguar. Fiquei chocada demais para reagir. Eu estava pungentemente ciente de que ele me beijava no meio de um bar, até que ele mordiscou meu lábio inferior. Então eu me esqueci de tudo que não era ele. Meu corpo inteiro estremeceu, e meu coração caiu em direção a meu estômago, como se a força gravitacional houvesse sido dobrada. Minha cabeça estava zonza, mas eu não me importava com isso. Abri a boca e, de imediato, a língua dele entrou nela, assumindo o controle. As minhas mãos agarravam com força as costas dele, e, em resposta a isso, ele me puxou mais para perto dele. Seu beijo era lento, e depois, rápido, terno, e depois punitivo. Nós estávamos pressionados juntos tão apertado que eu conseguia sentir todos os planos do corpo dele, mas queria ficar ainda mais perto dele. Sua mão deslizou por cima da minha blusa, nas costas; seus dedos quentes pressionaram minha carne já pra lá de quente. Um gemido escapou da minha boca com o contato íntimo. Eu me arrependi disso de imediato, porque o som pareceu fazer com que a mente dele desanuviasse, e ele recuou.

Eu não conseguia impedir meus lábios de acompanhá-lo, mas ele permanecia fora do alcance do meu beijo. Em vez disso, ele soltou um gemido, abaixou a cabeça e deu um tórrido beijo no meu pescoço.

Definitivamente, meu cérebro funcionava com velocidade diminuída. Eu era totalmente corpo naquele instante e, meu Deus, como essa sensação era boa! Eu era apenas a soma das minhas extremidades nervosas, que estavam indo à loucura. Ele exalou pesadamente, o que deixou a minha pele ainda mais abrasada. A voz dele soava áspera quando ele disse:

— Desculpa, fui levado pelo beijo.

Aquelas eram exatamente as palavras certas. Ser levado pelo beijo. Eu nunca havia ficado tão interessada em uma outra pessoa antes. Eu nunca estive tão... fora de controle. O que, ao mesmo tempo, me excitava e me aterrorizava.

O rosto dele apareceu na frente do meu, e tentei manter minha expressão neutra. Ele deslizou a mão para fora da minha blusa, e eu estremeci, com a minha pele lamentando a perda.

Ele deu um passo para trás.

— Certo. Agora poderia ser a hora para um pouco mais de razão, um pouco menos de paixão.

Eu ri, mas, por dentro, eu estava mostrando o dedo médio para a razão. Ela já havia me regido por tempo suficiente.

CAPÍTULO 3

— Você está de brincadeira comigo, certo?

Eu o encarei, me perguntando se meu lado obcecado pelo controle conseguiria lidar com isso.

Sua mão tocou de leve no meu queixo.

— Eu prometo que vou devagar.

Balancei a cabeça em negativa, e ele baixou as mãos.

— Eu não acho que consigo fazer isso.

— É só me abraçar. Eu prometo... você vai se divertir.

— Garrick...

— Bliss, apenas confie em mim.

Inspirei fundo. Eu podia fazer isso, era preciso apenas diminuir o ritmo do meu cérebro, como Kelsey havia dito.

— Ok, mas anda logo... antes que eu mude de ideia.

O rosto dele abriu-se em um sorriso, e ele deu um beijo rápido na minha têmpora.

— Isso aí, garota!

Então ele colocou com cuidado o capacete por cima dos meus cabelos, jogou uma das pernas por cima de sua moto e me ofereceu uma das mãos. Empurrei para baixo as minhas ressalvas, e deslizei a minha mão na dele. O assento era curvado, de forma que, mesmo que eu tentasse sentar alguns centímetros mais para trás, acabaria deslizando até que meu corpo estivesse pressionado bem junto ao dele.

Ele acomodou a mão no meu joelho, com os dedos se curvando até que faziam cócegas na área sensível atrás dele.

— Segure-se em mim.

Eu fiz o que ele mandou, e quase tive um aneurisma quando senti os sulcos do abdômen dele através de sua camisa. De repente eu estava pra lá de consciente da gordurinha logo acima do cós da minha calça jeans. Ele daria uma olhada no meu corpo e saberia que eu não era boa o bastante para ele. Que inferno, ele provavelmente poderia estar sentindo aquela gordurinha junto às costas dele agora, e poderia já estar se arrependendo disso. Então a mão que estava em volta do meu pescoço deu um leve puxão, e mesmo que eu não achasse que poderíamos ficar mais perto um do outro, nós ficamos.

Eu não estava apenas pressionada junto a ele. Eu estava grudada nele.

Minha pélvis estava tão apertada junto dele que fui dilacerada por uma atração estonteante. E, ao mesmo tempo, ele arrancou com a moto e partimos. Afundei as mãos na cintura dele, e ele deu um pulo, a moto inteira guinava para o lado.

Eu gritei. Bem, foi mais um guinchado. Bem na orelha dele! Ele endireitou a moto e então diminuiu a velocidade até parar no semáforo.

— Está tudo bem com você?

Com o rosto enterrado no ombro dele, consegui num guinchado dizer que "sim".

— Desculpe-me, amor, eu sou um pouquinho sensível às cócegas, só isso.

— Ah.

Eu soltei os dedos que estavam praticamente afundados nas laterais do corpo dele. Graças a Deus ele não podia ver meu rosto nesse exato momento. Vermelho era uma cor que não caía muito bem em mim. Ele pegou minhas mãos e puxou-as de forma que meus antebraços ficaram em sua cintura e meus braços envolviam-no por completo.

— Assim está melhor. Vamos tentar de novo.

Dessa vez, quando ele arrancou com a moto, eu não gritei. Ele ganhou velocidade devagar, e eu mantive a bochecha encostada nas costas dele, de olhos fechados.

Shakespeare estava grudado na minha cabeça por causa da nossa conversa inicial, então eu recitei tudo o que eu sabia dele para manter a minha mente ocupada. Comecei com o solilóquio de *Hamlet*. Em seguida, fui para o discurso do Dia de São Crispiniano de *Henrique V*. Eu estava terminando o Monólogo do Amanhã de *Macbeth* quando Garrick me interrompeu.

— Você realmente adora o Bardo!

Mortificação tornava-se a minha emoção padrão. Creio que eu não estava recitando tudo aquilo na minha cabeça, como achei que estivesse.

— Ah, eu, hum, é só que eu tenho realmente muita facilidade em memorizar as coisas.

Com a bochecha ainda encostada nas costas dele, tentei acalmar o meu coração que parecia estar correndo. Agora que a moto não estava se movendo, o meu cérebro estava livre para ter medo daquela *outra* coisa sobre a qual eu ativamente *não* estivera pensando.

Sexo.

Eu ia fazer sexo.

Com um cara.

Um cara gostoso.

Um cara BRITÂNICO gostoso.

Ou talvez eu fosse vomitar.

E se eu vomitasse em cima do cara britânico gostoso?

E se eu vomitasse em cima do cara britânico gostoso DURANTE O SEXO?

— Bliss?

Eu me movi desajeitada para trás, horrorizada e me perguntando se acidentalmente estava pensando em voz alta de novo.

— Sim?

— Nós podemos descer da moto quando quiser.

— Ah.

Puxei os braços com tamanha rapidez que quase perdi o equilíbrio e caí da moto. Com sorte, com apenas um leve grunhido, eu consegui me estabilizar e deslizei para fora da moto.

Foi então que a minha perna passou raspando em um cano na lateral da moto, e eu voltei a gritar.

Estava quente. Tão TREMENDAMENTE quente! E agora a minha pele ardia.

— Bliss?

Quando Garrick me alcançou, eu havia dado vários passos para longe da moto, mancando. Apesar dos meus punhos cerrados e da forma como eu mordia o lábio para conter a dor, os meus olhos estavam ficando marejados.

Primeiramente, ele colocou as mãos em concha no meu rosto, e depois olhou de relance para baixo na minha perna, onde uma marca vermelha estava brilhando a cerca de uns dois centímetros da barra da minha calça capri.

— Ah, que droga!

Mantive os lábios completamente fechados, sem saber ao certo se eu conseguiria abrir a boca sem gritar. Garrick deslizou um dos braços em volta da minha cintura e eu joguei um dos braços por cima do ombro dele.

— Vamos lá, amor. Vamos esperar que o chaveiro já tenha chegado.

Pela primeira vez, olhei a meu redor e me dei conta de onde estávamos. Estávamos no condomínio do *meu* apartamento. *Nós morávamos no mesmo condomínio!*

Travou-se uma batalha dentro da minha cabeça sobre se eu deveria mencionar esse fato enquanto ele me conduzia em direção ao apartamento dele. Eu quase fiz isso quando passamos pelo meu próprio carro, mas então eu me lembrei de que isso era para ser um encontro casual de apenas uma noite. O apartamento dele ficava a um prédio de distância do meu. Graças a Deus. Imagina se ele morasse bem a meu lado e eu tivesse que vê-lo todos os dias depois daquilo que seria, sem dúvida, um sexo terrível que eu estava prestes a tentar fazer com ele?

Nós chegamos à porta dele. Nada de chaveiro. A pele na minha panturrilha estava quente, como se eu estivesse andando bem ao lado de uma chama.

Ele desferiu um olhar preocupado para mim, e então pegou seu celular. Ele apertou o botão de chamada duas vezes, chamando novamente o último número para o qual havia ligado. Ele se afastou de mim para falar ao celular, e eu me apoiei pesadamente na parede ao lado da porta do apartamento dele. Claramente, não era para eu fazer sexo. Isso era Deus me dizendo que eu deveria virar freira. Ir para um convento, e aquela baboseira toda.

Eu já delirava tanto que confundia Deus com Shakespeare. Garrick voltou e até mesmo o cenho franzido dele era maravilhoso.

— Má notícia. O chaveiro acabou se atrasando e não chegará aqui em menos de uma hora.

Tentei não me encolher. Fracassei. Ele se ajoelhou e passou os dedos pela minha canela, parando a uns poucos centímetros à direita da minha queimadura. Graças a Deus que eu havia depilado as pernas. Ele inspirou fundo e exalou o ar lentamente pelo nariz. Ele cerrou os olhos por um instante e então assentiu.

— Certo. Bem, nesse caso, talvez devêssemos levar você ao pronto-socorro.

— O quê? Não!

O que a Kelsey ia dizer? Eu saí com o objetivo de fazer sexo e acabei indo parar no pronto-socorro. Vida de merda, a minha!

— Bliss, a queimadura não está tão feia assim, mas, se você não começar a tratá-la, vai doer de um jeito infernal.

Inclinei a cabeça para trás, para junto da parede, e soprei uns fios de cabelos que estavam na frente do meu rosto.

— Eu não moro longe daqui. Nós podemos simplesmente ir até o meu apartamento.

— Ah, ok.

O largo sorriso dele voltou ao seu rosto, e, por um breve segundo, fiquei nadando demais em outros sentimentos para me lembrar da dor. Ele continuou a falar:

— Nós teremos que tomar cuidado ao colocar você na moto de novo. Eu não ia querer que você se queimasse outra vez.

Mordi o lábio inferior.

— Para falar a verdade, nós não temos que subir na moto. — Ele arqueou uma sobrancelha de um jeito gracioso. — Quando eu falei que não morava longe, eu quis dizer que moro no próximo prédio.

Foi então que ele ergueu ambas as sobrancelhas. A surpresa dele durou apenas um segundo antes que uma expressão diferente cruzasse seu rosto, uma expressão mais difícil de ser analisada com precisão, e que fazia com que o frio na minha barriga se tornasse pequenos espasmos.

— Vamos para o seu apartamento então... vizinha.

Eu senti fraqueza nos joelhos, e não somente por causa da dor. Engoli a saliva, mas minha boca ainda parecia seca. Ele não tornou a colocar os braços em volta de mim, mas os seus dedos tocavam de leve as minhas costas, e então nós ficamos assim enquanto caminhávamos. Chegamos a meu apartamento em menos de um minuto. Ele deixou a mão pender até a parte debaixo das minhas costas, enquanto eu procurava minhas chaves e, por um segundo, eu me esqueci do que estava procurando.

Chaves. Meu apartamento.

Em que ele estava prestes a entrar.

Comigo.

Sozinhos.

Para fazer sexo.

Sexo.

Sexo.

Sexo.

Eu sentia como se meus dedos estivessem quebrados enquanto eu tentava e falhava na tentativa de inserir a chave na fechadura. Ele não disse nada. Nem tirou as chaves de mim — o que era uma coisa boa, porque isso teria me deixado completamente enfurecida. Eu posso até ser uma ruína mental, emocional e física, mas eu não precisava de um cara para girar uma chave para mim. Ele permaneceu com a mão calma, gentil e pacientemente encostada nas minhas costas até que eu consegui forçar a porta a abrir.

Quando dei um passo para dentro do corredor escuro, a mão dele não me acompanhou. Olhei para trás, para ele, parado na minha varanda, com a mão agora enfiada casualmente nos bolsos. Ele estava com um sorriso torto no rosto, afetuoso e maravilhoso de fazer parar o coração. Mas parecia que ele não planejava entrar no meu apartamento. Era isso. Ele havia mudado de ideia. Porque eu era uma completa bagunça. Por que ele não haveria de mudar de ideia?

Inspirei, lembrando-me de que eu era incrível. Eu não era insegura e nem tímida. Eu era apenas virgem. Nada demais. E se algum dia eu quisesse deixar de ser virgem, eu teria de fazer sexo. Hora de dar uma de homem... digo, de mulher de verdade.

— Você está esperando por um convite? — perguntei, olhando para ele, que estava parado, em pé, cautelosamente do lado de fora da porta do meu apartamento. — Agora é a parte em que você me diz que é um vampiro?

Ele riu.

— Não, eu juro a você que a palidez é só porque eu sou inglês.

— Então, o que você está esperando? O que aconteceu com o cara que me fez sentar para descobrir o nome dele e que deixou bem claro que não queria que eu voltasse pra minha amiga?

O que foi que aconteceu com o cara que era ousado em maneiras que eu só conseguia fingir que era?

Ele deu um passo, de modo que ele ficou em pé na soleira da porta, e apoiou-se no batente.

— Esse cara está tentando ser um cavalheiro, porque, por mais que ele quisesse que você voltasse ao apartamento dele, e por mais que ele quisesse beijar você, você está machucada e eu receio que você, na verdade, não me queira aqui.

— Você quer dizer que ele está com medo?

— Hum?

— Você estava falando na terceira pessoa e depois mudou para a primeira...

E lá estava eu divagando.

— Então eu estava.

Ele ainda estava sorrindo. O que isso queria dizer?

— Foi um prazer conhecê-la, Bliss.

Essa seria uma forma fácil de sair dessa se eu não quisesse prosseguir com isso. Se eu quisesse que a minha virgindade visse a luz do dia... de novo. Ele estava se virando para ir embora. Tudo o que eu tinha que fazer era deixar que ele se fosse.

— Espera! — Ele sorriu, um pequeno e camuflado sorriso, e ergueu aquela sobrancelha de novo. Inspirei o ar em meio ao meu medo. — Se *ele* está tentando ser um cavalheiro, ele não deveria ficar e tentar ajudar a garota machucada que não sabe nada sobre como tratar queimaduras de moto?

Os seus olhos deixaram os meus para olharem de relance para a minha panturrilha, e se depararam com os meus lábios em vez disso.

— A garota machucada está certa. Essa seria a coisa cavalheiresca a se fazer.

Então ele deu um passo para dentro do meu apartamento e fechou a porta. A luz dos postes da rua desapareceu e nós estávamos em pé no corredor escuro porque a lâmpada de cima do meu corredor estava queimada fazia semanas e eu ainda não a havia substituído por uma nova.

Eu podia sentir o calor sendo irradiado dele quando me aproximei. Sua mão, mais uma vez, acomodou-se na parte inferior das minhas costas, e ele sussurrou, no escuro:

— Vá na frente, amor.

CAPÍTULO 4

Eu estava parada e em pé no meu banheiro, com uma regata e de calcinha, com a calça em volta dos meus joelhos, a ponto de hiperventilar. Garrick estava do lado de fora da porta, e era como se ele fosse um ímã. Meu coração continuava tentando pular para fora do meu peito na direção dele. Ele tinha me falado para eu tirar a minha calça capri e que eu precisaria evitar o uso de roupas justas por cima da queimadura por um tempo. Ele havia se oferecido para me ajudar a tirar a calça, mas isso me fez sentir como se fosse vomitar novamente. Então, em vez disso, comecei a me mexer e sair dela sozinha, tentando e fracassando na tarefa de não deixar que o tecido encostasse na pele machucada.

Deslizei o material um pouco mais para baixo, e mordi o lábio ao tentar silenciar um gemido.

— Bliss? — Garrick bateu de leve à porta. — Você está bem?

— Ótima! — respondi.

Puxei a calça de novo e fiquei ofegante.

— Bliss, só me deixa ajudar você. Você está me deixando preocupado.

Fechei os olhos, tentando pensar em uma maneira de dar um jeito nisso. Andando a passos pesados e desajeitada com a minha calça jeans em volta dos meus joelhos, encontrei uma saia com um elástico na cintura no meu cesto de roupa suja. Eu a enfiei por cima da cabeça e puxei-a para baixo, para cobrir a minha calcinha, e então me sentei na privada.

Senti as minhas bochechas, certa de que elas provavelmente estavam em um tom de vermelho mortificante. Não havia nada que eu pudesse fazer em relação a isso agora. Eu disse:

— Ok, pode entrar.

A maçaneta girou e a porta abriu-se devagar, e Garrick enfiou a cabeça para espiar pelo canto, e depois mexeu o corpo todo. Ele deu uma olhada na minha saia amarrotada e na calça jeans amontoada em volta dos meus joelhos.

Então ele riu. Gargalhadas, para falar a verdade.

— Isso é tão humilhante!

Como algum dia eu ia fazer sexo com ele? Ele pressionou os lábios um no outro para impedir a risada de sair, mas a diversão ainda dançava em seus olhos.

— Desculpe-me. Eu sei que você está sentindo dor. Você está tão...

— Ridícula?

— Fofa. — Desferi a ele um olhar de ódio. — Ridiculamente fofa.

O largo sorriso dele era intoxicante, e eu não consegui não abrir um sorriso relutante.

— Certo. Agora que você já deu risada, me ajuda a tirar a calça — eu disse isso com o mesmo sarcasmo no qual eu vinha me apoiando desde que ele entrou no meu apartamento.

Ou ele não captou o sarcasmo ou simplesmente não se importou com isso porque os seus olhos se fixaram em mim de uma maneira que eu poderia descrever apenas como pura e simplesmente predatória. De repente, muito mais do que a minha perna pegava fogo.

Ele ficou me encarando por um instante antes de baixar o olhar e pigarrear. Ajoelhando-se a meu lado, ele pegou minha perna entre as mãos.

Eu já havia começado a puxar a calça capri para baixo, então a queimadura estava, pelo momento, coberta. A mão dele ficou pairando sobre o zíper, que agora estava em volta do meio das minhas coxas. Ele pigarreou de novo e então deslizou a mão pela perna da minha calça.

ATAQUE. DO. CORAÇÃO.

Eu estava plenamente certa de que estava tendo um ataque do coração.

Com a outra mão, ele puxou a calça jeans para baixo até o máximo que conseguiu, logo acima dos meus joelhos. Ele ergueu o olhar para mim, pigarreou *de novo* e disse:

— Você pode me dar uma mãozinha aqui?

Eu não conseguia falar, mas estiquei a mão para a frente, cuja palma estava suada de um jeito embaraçoso. Ele pegou a minha mão e puxou-a para dentro da perna da minha calça para juntar-se à dele.

— Mantenha a sua mão aqui e puxe o tecido o mais longe da sua perna quanto você conseguir. Eu vou fazer a mesma coisa lá embaixo, e vamos tentar fazer a calça deslizar sem encostar na queimadura.

Assenti, com a mão dez vezes mais estabilizada que meu coração.

Ele deslizou a mão para cima e para fora, e seu leve toque fazia com que meu corpo fosse percorrido por calafrios. Ele fez conforme disse que faria, puxando o tecido para longe da minha pele na parte inferior, e então, juntos, nós tentamos puxar a calça para removê-la.

Não foi a mais bem-sucedida das missões. Essa calça jeans era justa de um jeito indecente (graças à Kelsey), e de vez em quando o tecido roçava a minha pele e eu me encolhia.

— Desculpe — ele sempre se desculpava, como se a culpa fosse dele. Eu queria corrigi-lo, mas eu simplesmente amava tanto o jeito como ele falava "desculpa" com aquele sotaque britânico, que deixei quieto.

Depois de um ou dois minutos e de manobras cuidadosas, minha calça jeans caiu no chão.

Nós dois demos risada: do jeito como as pessoas dão risada em filmes depois de terem acabado de desarmar uma bomba. E quando eu parei de rir, me dei conta de que a mão dele ainda estava na minha perna. Uma das mãos dele estava segurando o meu tornozelo em concha e a outra estava roçando suavemente a pele em volta da queimadura.

Se ele continuasse me tocando aquele jeito, eu ia derreter e virar uma poça bem ali no chão.

— Hum, obrigada.

Ele pareceu perceber o que estava fazendo. Os seus olhos voltaram-se rapidamente para suas mãos. Em vez de retirá-las de imediato, ele abriu um largo sorriso, roçou com a mão devagar, descendo pela minha perna com ela, e depois tirou-a dali.

— Sem problemas. Agora nós precisamos refrescar o lugar. Nós podemos colocá-la embaixo de água fresca. — Eu visualizei a minha perna içada na pia ou nós dois tentando fazer alguma manobra com ela dentro da minha banheira. Meu rosto deve ter entregado o que eu estava pensando, porque ele acrescentou: — Ou simplesmente um pano molhado com água fresca serve.

Entreguei a ele uma toalha de rosto do cesto que estava atrás de mim e ele se voltou para a pia, esperando até que a água estivesse fresca antes de molhá-la.

Suguei o ar ao inspirar enquanto ele colocava a toalha em cima da minha queimadura, mas a sensação refrescante era boa, boa o bastante para que eu relaxasse pela primeira vez desde que havíamos entrado em meu apartamento.

— Melhor?

Assenti com a cabeça.

— Muito. Eu nunca mais vou usar uma calça jeans tão justa como essa.

Ele abriu um sorriso torto.

— Agora *isso sim* seria uma vergonha.

Eu ia precisar de um ventilador para me manter fresca caso ele continuasse a dizer esse tipo de coisa.

— Escuta — ele começou a dizer. — Eu sinto muito em relação a isso. Eu nunca deveria ter forçado você a subir naquela moto.

— Não é sua culpa que eu não saiba nada sobre motos e que não percebi que ali estaria quente.

– Eu não consigo acreditar que você nunca tinha andado de moto antes.

– É, bem, há um monte de coisa que eu nunca fiz.

Ele entortou uma das sobrancelhas.

– Tipo o quê?

– Bem...

Eu juro que as batidas do meu coração não soavam como tum-tum-tum e sim estú-pida, estú-pida enquanto essas mesmas batidas ressoavam aos meus ouvidos.

— Hum, até hoje eu nunca tinha encontrado alguém que fosse britânico.

Ele deu risada, penteando os cabelos inconscientemente, o que me fez querer pentear os cabelos dele com os *meus* dedos. Ele disse:

— Foi por isso que você me beijou, não foi? Todas vocês, garotas americanas, parecem adorar sotaques.

Engoli o sorriso e disse:

— Eu creio que foi você quem me beijou.

Ele se levantou, e seus bagunçados cabelos loiros caíram sobre sua testa, emoldurando aqueles olhos diabólicos.

— Então fui eu.

Ele passou a toalha debaixo da água novamente para mantê-la fresca, mas o meu corpo estava quente demais para realmente sentir a diferença quando ele a colocou de volta na minha pele. A sua outra mão curvou-se em volta do meu tornozelo de novo.

Mantive a respiração cuidadosamente regular, e disse:

— Sua vez.

— Hum?

— Diga-me algo que você nunca tenha feito.

— Bem, eu nunca tinha me agraciado com uma garota em um barzinho antes dessa noite.

Fiquei de queixo caído.

— Verdade?

Ele era lindo! Talvez todas as garotas simplesmente se jogassem em cima dele antes mesmo de ele ter entrado no bar, então ele nunca tinha se dado ao trabalho de entrar em um bar.

Ele deu de ombros, e com o movimento, o polegar dele começou a roçar para a frente e para trás a parte de cima do meu pé.

— Acho que isso vai contra o estereótipo inglês, mas eu nunca fui muito de ficar embriagado, hum, bêbado, o tempo todo.

— Nem eu — falei. E eu realmente estava falando sério, mesmo com a minha cabeça ainda um pouco zonza por causa de toda aquela tequila. — Então o que traz esse britânico não estereotípico ao Texas?

Ele deu de ombros.

— Já faz um tempinho que estou nos Estados Unidos. Eu vim até aqui para a faculdade e nunca voltei. Na verdade, acabei de me mudar de volta para o Texas. Fazia alguns anos que eu não vinha aqui.

— Eu também. Faz uns poucos anos que eu me mudei de volta para cá.

Eu havia sido criada no Texas quando pequena, mas nós nos mudamos para o Minnesota quando eu estava no oitavo ano na escola. Sempre fora o meu plano voltar para cá para fazer faculdade.

Ele umedeceu mais uma vez a toalha e nós ficamos ali sentados, conversando. Ele me contou sobre como foi crescer na Inglaterra e como tinha sido diferente morar nos Estados Unidos.

— Da primeira vez em que um camarada disse que havia gostado da minha calça, aqui nos Estados Unidos, eu fiquei chocado demais que achei que tivesse saído de casa sem algumas coisas fundamentais.

— Calça? Não estou entendendo.

— *Pants*, no inglês americano, é como nós, britânicos, nos referimos a cueca, querida.

— Ah — dei risada. — É bom saber.

— Quando eu pedi uma borracha a um colega de classe... nós chamamos borracha de "*rubber*", que vocês usam para se referir às camisinhas, e vocês chamam a borracha de "*eraser*"... todo mundo riu tanto que eu estava pronto para embarcar direto em um avião de volta a Londres.

Eu tentei conter a minha gargalhada, e falhei. Mas imaginei que ele merecia isso depois de ter dado risada do meu martírio com a minha calça jeans antes.

— Deve ter sido terrível.

Ele esticou a mão para pegar a gaze que eu tinha tirado do armário mais cedo, e colocou-a com cuidado sobre a queimadura, e prendeu as bordas com esparadrapo enquanto falava.

— A gente acaba se acostumando com essas coisas. Agora faz tanto tempo que estou aqui nos Estados Unidos que eu lido bem o bastante com tudo isso. De vez em quando, quando vou a Londres e depois volto para cá, enfrento alguns problemas para me ajustar mas, de modo geral, eu diria que estou bem americanizado.

— Exceto pelo sotaque.

Ele sorriu.

— Eu não posso me livrar do sotaque agora, posso? Então como eu algum dia atrairia a atenção de belezas como você?

— Lendo Shakespeare em um bar, obviamente.

Ele deu risada, e o som dela espalhou-se pela minha pele, relaxando um pouco os meus nervos.

— Você é fofa — disse ele.

Revirei os olhos.

— É... totalmente fofa, como estabelecemos mais cedo.

— Você se sentiria melhor se eu dissesse que você é totalmente sexy?

Assim, a calma que eu havia sentido antes desapareceu, e minhas respirações ficaram rasas demais. Eu não tinha resposta. O que possivelmente eu diria em resposta a uma coisa dessas?

— Por que esse olhar? — ele perguntou.

Eu não fazia ideia de qual da profusão de emoções havia transparecido na minha face, então eu dei de ombros.

— Você está agindo como se ninguém nunca houvesse chamado você de sexy antes. — Eu estava agindo assim por esse exato motivo. — O que eu sei que não pode ser verdade, não quando você estava com aquela aparência como a desta noite. Eu mal conseguia manter as minhas mãos longe de você e havíamos acabado de nos conhecer. Eu ficaria envergonhado se não tivesse curtido tanto.

Era isso. Eu podia não ter feito sexo, mas tinha conhecimentos o suficiente para saber quando um cara estava dando em cima de mim. E o interessante é que eu não estava nem aí. Tudo com que eu me importava era com o fato de que ele estava sentado tão perto de mim, e isso estava me levando à loucura. A mão dele ainda estava acariciando o meu tornozelo de uma forma relaxada e deliberada, e se ele não me beijasse de novo logo, eu entraria em combustão.

— Veja, eu nem mesmo consigo manter minhas mãos longe de você agora.

Engoli em seco, mas a minha boca de repente parecia ter engolido uma caixa de areia.

Ele se levantou, ficando de joelhos, e sua mão passou do meu tornozelo para cima, para o lado de fora da minha panturrilha não machucada. Os quadris dele estavam a uns poucos centímetros de distância dos meus joelhos enquanto eu estava sentada embasbacada, no vaso sanitário.

— Diga-me que não estou maluco — disse ele.

Eu não podia fazer isso. Eu não estava nem um pouco sã no momento para aconselhar alguém sobre um comportamento racional.

— Diga-me que eu posso beijar você.

Isso... *isso* eu podia fazer.

— Você pode me... — Eu nem mesmo havia terminado a frase antes de os lábios dele estarem nos meus, e a minha queimadura foi completamente esquecida.

CAPÍTULO 5

O beijo acabou cedo demais.

Um embaraçoso gemido de desapontamento saiu da minha boca, mas eu não tinha como evitar isso. Por sorte, Garrick não havia terminado. Ele levantou-se e me puxou para cima pelos cotovelos e me puxou para junto dele até que nossos corpos se encaixassem perfeitamente, de um jeito que não havia sido possível quando eu estava sentada.

— Assim é melhor — disse ele.

Não me dei ao trabalho de concordar. Apenas fiquei nas pontas dos pés e beijei-o. Em comparação com o nosso beijo mais cedo, este era lento, explorador, e era como lenha na fogueira. Uma das mãos dele estava curvada em volta do meu pescoço, e ele pressionava o polegar com gentileza na minha clavícula. Sua outra mão dançava dos meus cabelos até meu ombro e até meu quadril e depois voltava.

Eu me concentrei em simplesmente senti-lo junto a mim, o roçar de sua língua junto à minha, o calor de seus dedos sobre minha pele. Eu não pensei em nada — nem na minha respiração, nem se minhas mãos estavam no lugar certo, nem no que ele estava esperando. Eu me perdi nele.

Minhas mãos estavam nos quadris dele, e eu mesma queria fazer uma exploração. Puxei as mãos até que elas repousassem na barriga dele, entre nós dois. Com meu movimento, ele pressionou com um pouco mais de força os lábios junto aos meus. Sua língua ia um pouco mais a fundo. Deslizei as duas mãos para cima, sentindo as curvas duras de seu corpo sob o tecido de sua camisa. Quando minha exploração alcançou seu peito, sua mão puxou meu quadril para a frente, de modo que minha barriga estava pressionada junto a ele.

Eu podia sentir a forma como ele me queria, e um fio de ansiedade começou a se formar em mim. Então seu beijo ficou mais severo e mais rápido, e eu corria para acompanhá-lo, ignorando meu nervosismo.

Deixei uma das mãos em seu peito, e envolvi seu pescoço com a outra, e me puxei mais para cima na ponta dos pés, de modo que meus quadris ficassem alinhados com os dele.

Garrick interrompeu o beijo e exalou, tremendo, junto aos meus lábios. O azul brilhante que eu tinha visto em seus olhos mais cedo foram tomados quase por completo por suas pupilas negras. Ele colocou uma das mãos no meu maxilar; seu polegar puxava meu lábio inferior. Durante vários longos segundos, ele apenas me estudou.

— Você é muito sexy, sabia?

Abaixei os calcanhares junto ao chão, pois minhas panturrilhas doíam demais por eu permanecer na ponta dos pés. E eu não conseguia mais olhar nos olhos dele. Todas as vezes em que eu quase havia desligado o meu cérebro por completo, ele dizia alguma coisa para ligá-lo novamente. Eu disse:

— Você sabe que não precisava falar... Eu já estava beijando você.

— E que beijo bom foi aquele! — Ele roçou meus lábios de novo com o polegar, e inclinou meu rosto para trás, na direção do dele.

— Eu gostaria de fazer isso de novo em algum lugar que não fosse seu banheiro.

— Ah, certo.

Será que ele estava pedindo para ir até meu quarto? Eu tinha plena certeza de que ele estava pedindo para ir até meu quarto!

Tateei para segurar na maçaneta da porta por uns poucos segundos antes de meu cérebro anuviado conseguir abrir a porta. Nós saímos no corredor escuro novamente, e as mãos dele foram parar nas minhas costas mais uma vez.

— Eu sinto muito, a lâmpada do corredor está queimada e não consegui trocá-la ainda.

Os seus lábios estavam bem perto do meu ouvido quando ele me respondeu:

— Eu não me incomodo com o escuro.

Todos os pelinhos ao longo de minha pele ficaram eriçados.

Nós entramos na sala de estar, e eu acendi uma lâmpada que de fato funcionava. Meu apartamento era um *loft* com um piso em planta aberta. Duas paredes eram de tijolos e a outra estava pintada com uma bela cor de ameixa. O teto era alto com canos expostos em ziguezague acima de nós. Meu quarto ficava à direita, separado da sala de estar por apenas uma cortina cor de lavanda, visto que eu não tinha realmente uma porta.

— Bem, esta é minha sala. — Fiz um gesto com uma das mãos, sem saber ao certo se ele esperava um *tour* pelo apartamento ou se eu deveria pular isso tudo e ir direto para o quarto.

Eu nunca havia feito isso antes, então eu não fazia ideia se deveríamos passar pelas gentilezas tradicionais primeiro. Meu coração estava em uma corrida selvagem enquanto dávamos a volta na sala, inspecionando uma pintura aqui, uma quinquilharia ali.

— É legal. É a sua cara, eu acho.

Fiquei radiante. Eu adorava esse apartamento. Ele sempre fazia eu me sentir como se estivesse em um episódio de *Friends*.

— Tenho vergonha de dizer que meu apartamento ainda está coberto de caixas. Não teria sido um *tour* muito interessante por lá.

Ah, meu Deus, como eu gostaria que estivéssemos no apartamento dele! Aí ele estaria no controle. Odiava não saber o que eu deveria fazer em seguida.

Ele passou os olhos pela cortina que dava para meu quarto. Foi rápido. Seus olhos quase de imediato estavam novamente voltados para o abajur ao lado do qual ele estava parado, mas eu notei o que ele fez.

Era isso. Eu estava prestes a fazer sexo. Eu deveria contar a ele que eu era virgem? Eu deveria contar isso a ele sim.

Deveria contar agora? Ou logo antes...?

Eu me lembrei dos conselhos da Kelsey e me forcei a controlar meus medos. Abaixei tanto o volume do meu cérebro que eu podia fingir que nem mesmo estava pensando.

Antes que eu me acovardasse, caminhei para a frente e estiquei a mão. Ele a tomou imediatamente e eu o conduzi pela cortina e entramos no meu quarto. Não havia iluminação no teto nessa área, então eu acendi o abajur à minha direita, e deixei que ele acendesse o outro abajur do lado da minha cama.

Quando eu me virei ele já erguia a minissaia indecentemente curta que a Kelsey mais cedo tinha feito com que eu experimentasse.

Os olhos dele se encontraram com os meus e seu largo sorriso fez parecer que meus pulmões estavam à beira de um colapso. Eu arranquei a saia das mãos dele, cacei as outras peças de roupa que ainda estavam na minha cama e joguei-as dentro do meu armário.

— Desculpe-me por isso.

— Você não me ouviu reclamando, ouviu?

Ergui uma sobrancelha e disse:

— Pode esquecer. Você nunca vai me ver naquela saia.

— Nunca? Isso é um desafio, amor?

— É uma promessa.

Ele deu a volta no canto da minha cama para se juntar a mim no espaço entre ela e a parede.

— Eu me sentiria confortável ajudando você a quebrar essa promessa.

Ele colocou uma das mãos no meu ombro, e seu indicador afundava debaixo da alça da minha regata.

— Eu tenho certeza de que você se sentiria confortável me ajudando a fazer muitas coisas.

Ele apertou a pegada de sua mão no meu ombro e baixou o olhar para os meus lábios.

— Eu me sentiria mesmo.

Então ele me beijou.

Ele não se deu ao trabalho de ser suave e doce dessa vez. Havia um desespero faminto no beijo dele que me deixava ofegante. Seus dentes puxavam meu lábio inferior do mesmo jeito como seu polegar havia feito antes, e meu corpo inteiro tremeu em resposta. Ele curvou-se de leve, e passou um dos braços em volta da minha cintura, puxando-me para cima, para junto dele, de modo que nossos corpos ficassem perfeitamente alinhados.

Meus dedos dos pés mal roçavam o chão, mas isso não importava. Ele estava me erguendo. Enterrei as mãos nos cachos bagunçados dos cabelos dele, e me atirei no beijo. Ele deu uns passos para trás e eu me sentei na beirada da minha cama. Por instinto, as minhas pernas foram uma para cada lado de seu colo, montando nele. A mão dele que estava em volta da minha cintura se curvou em torno do meu bumbum e me puxou para junto dele.

Se eu tinha alguma dúvida sobre aonde isso ia parar, a dúvida desapareceu naquele instante. Ele me puxou de novo, erguendo um pouco seus próprios lábios ao mesmo tempo, e eu interrompi o beijo, ofegante. A boca dele roçou o meu maxilar e desceu pelo meu pescoço. Os seus lábios permaneceram por um tempinho em cima do meu ponto da pulsação, e a sua língua roçava a minha pele sensível. Ele continuou a descer pela minha clavícula até que a minha regata bloqueou mais algum avanço. Eu achei que ele fosse parar, mas ele deslizou a alça da minha regata pelo meu ombro, sem tirar os lábios da minha pele em momento algum. Ele enfiou a outra mão debaixo da minha saia, provocando a pele em volta do cós.

Minhas mãos ainda estavam embrenhadas nos cabelos dele, e eu apertei a minha pegada e puxei o rosto dele para junto do meu. A mão dele roçava mais para cima enquanto nos beijávamos, passando por cima das minhas costelas, e minha pele ardia no rastro de seu toque. Quando ele colocou a mão em concha no meu seio, eu me embalei para junto dele, e ele soltou um gemido. A saia que eu havia vestido antes estava erguida em volta das minhas coxas, e havia tão pouco entre nós dois... Ergui os quadris novamente, e dessa vez foi eu quem gemeu. Quando a outra mão dele encontrou a beirada da minha saia, foi para puxá-la para cima e por cima da minha cabeça.

Nós interrompemos o beijo para deixar que o tecido passasse por entre nós. Resisti à premência de me cobrir enquanto ele me atacava com o olhar. E, ah, meu Deus! Como eu estava agradecida pelo fato de que Kelsey havia insistido que eu usasse lingerie bonita. Esse conjuntinho em particular era de renda preta e branca.

Quando ele olhou para mim, foi tão óbvio o desejo que eu sabia que ele não se importaria nem um pouco com aquela gordurinha que havia me deixado estressada mais cedo. Com a mão direita ele massageava o meu seio com gentileza enquanto a esquerda estava no meu pescoço. Ele puxou o meu rosto mais para perto do dele. Eu pensei que ele ia me beijar de novo, porém, no último segundo, ele se virou abruptamente e pressionou a sua bochecha na minha, dando um beijo na beirada do meu maxilar, logo abaixo da minha orelha. E, ah, meu Deus, aquilo foi incrível! Era apenas um beijo inocente, mas havia feito com que eu agarrasse os cabelos dele, e puxasse meus quadris para baixo, para junto dos dele. Seus lábios roçaram o contorno externo da minha orelha enquanto ele sussurrava:

— Eu disse muito sexy? Eu quis dizer *inacreditavelmente* sexy.

Eu estava inacreditavelmente com tesão.

Ele me beijou novamente, e depois me virou e me deitou de volta na cama. Ele fez uma pausa para puxar a sua camisa por cima da cabeça, e pela primeira vez eu vi os músculos rígidos de seu corpo que haviam me fascinado mais cedo. Ele se ergueu de joelhos, com as minhas pernas ainda estiradas uma de cada lado de seu corpo. Ele parou para me analisar novamente.

Essa era a parte em que eu deveria contar a ele. Eu deveria simplesmente falar. Era só cuspir a informação.

Eu sou virgem.

Apenas três palavras.

Não é difícil, certo?

Engoli em seco e pigarreei.

Então ele abaixou a cabeça e pressionou os lábios junto à pele da minha barriga e todos meus pensamentos desapareceram.

CAPÍTULO 6

Era possível que eu não chegasse ao sexo. Da maneira como ele mapeava meu corpo com os lábios, eu entraria em combustão espontânea antes de irmos mais longe.

Os dedos dele fizeram uma trilha subindo pelas minhas coxas, e acariciavam a pele do meu quadril logo abaixo do cós da minha calcinha. Algo no meu cérebro foi detonado e que me encheu de pânico.

Eu seria terrível nisso... a pior que ele já tivera, provavelmente. E então ele nunca mais ia querer me ver de novo (e eu *realmente* queria vê-lo de novo). Era bem provável que eu ficasse traumatizada e nunca mais ia querer fazer sexo de novo, o que significava que todos os relacionamentos que eu tivesse pelo resto da minha vida seriam um fracasso, e eu acabaria sozinha e miserável com nove gatos e um furão.

Eu não queria acabar sozinha e miserável com nove gatos e um furão.

Então uma das mãos dele puxou a minha calcinha para o lado e eu estava me sentindo tudo, menos miserável.

A escuridão dançava nos cantos da minha visão, e todas as sensações no meu corpo pareciam se estreitar àquele único ponto em que ele me tocava, e, ai, meu coração! A sensação era incrível! Os seus dedos atingiram um lugar dentro de mim que fizeram com que eu me arqueasse para cima e na direção dele. Ele abaixou a cabeça e começou a dar beijinhos em meu peito.

Minhas mãos tinham uma mente própria enquanto massageavam as costas dele, e então deslizavam em volta de sua barriga, onde eu abri os botões de sua calça jeans. Ele fez um som gutural, e seus lábios colidiram com os meus. Ele me beijou furiosamente, pressionando-me mais para baixo no colchão. A intensidade dos beijos apenas aumentava — mais duros e mais rápidos, e eu precisava de algo mais. Deslizei a mão ao longo da pele firme de sua barriga, até a frente de sua calça jeans. Então seus lábios se separaram dos meus com um gemido. Ele não recuou, mas manteve os lábios a milímetros dos meus. Sua respiração veio em uma forte onda.

— Ah, meu Deus, Bliss...

Ele me deu um beijo final e demorado nos lábios, e então foi para trás até que ele estava ajoelhado acima de mim. Eu ouvi o clique do metal do zíper dele, e mantive os olhos focados na compleição de seus ombros enquanto ele tirava suas roupas. Ele se levantou por alguns segundos e fixei os olhos no teto. Eu queria isso. Demais.

Eu estava prestes a repetir meu mantra novamente quando os lábios e as mãos dele vieram até mim — em frenesi, quase desesperados.

Eu podia sentir a pressão aumentando lá embaixo, no meu âmago, e todos os músculos nas minhas pernas estavam puxados, tensos, enquanto eu esperava pelo que eu sabia que viria.

Então ele puxou com força a minha calcinha para baixo das minhas pernas e seu corpo ajustou-se na curva das minhas coxas, e era como se eu tivesse acabado de ser submersa em gelo.

Eu estava prestes a fazer sexo.

Com um cara que eu acabara de conhecer, sobre quem eu não sabia absolutamente nada.

E *ele* não sabia nada sobre mim... incluindo o fato de que eu era virgem.

E, ah, meu Deus eu queria seguir em frente com isso. Eu estava de saco cheio de ser virgem, e ele era inacreditavelmente sexy, mas isso não era eu.

Eu não poderia fazer isso. Não com ele.

Eu simplesmente... não podia.

Fiquei paralisada debaixo dele, mas sua boca continuava idolatrando a junção entre meu pescoço e meu ombro.

Eu deveria ter dito a ele que eu era virgem ou que não estava preparada. Não teria sido bonito e nem fácil, mas pelo menos ele teria entendido... provavelmente.

Em vez disso, meus olhos se travaram no jarro de cookies de porcelana em forma de gato que eu havia herdado da minha bisavó, e meu cérebro criou uma desculpa ridícula com a primeira coisa que me veio à cabeça.

— Para! Gatos! Para...

Que diabos eu estava dizendo?

Coloquei as almofadas das palmas das minhas mãos junto aos ombros dele e o empurrei levemente para cima.

Ele recuou, com os olhos escurecidos, os cabelos bagunçados e os lábios inchados dos nossos beijos. Foi então que eu quase mudei de ideia. Ele parecia quase irresistível. Quase.

— Desculpa, amor, mas você disse gatos?

— Sim, eu não posso fazer isso... agora. Porque... eu tenho um gato. Sim, eu tenho um gato que eu preciso ir buscar... Eu tenho que cuidar do meu gato! Então... eu não posso fazer *isso*.

Eu fiz um gesto indicando o espaço entre nós dois, na esperança, por Deus, de que eu não soasse tão louca para ele quanto eu soava para mim mesma. Improvável.

Eu nem mesmo tenho um gato!

Eu não sei quais sinapses foram erroneamente disparadas no meu cérebro, mas eu queria me dar uns chutes. Eu queria socar o meu rosto até que eu perdesse a consciência. Agorinha mesmo, provavelmente eu poderia mergulhar em uma piscina de ácido clorídrico sem nem mesmo precisar de um discurso motivacional.

O cérebro dele devia estar tão anuviado quanto o meu, porque ele fez uma pausa por alguns instantes, processando as informações, e depois olhou ao redor.

— Eu não estou vendo um gato.

A minha garganta estava ficando seca, da forma como sempre acontecia quando eu mentia. Eu era uma terrível mentirosa (conforme comprovado, bem, por mim).

— Isso é porque... a gata não está aqui. Sim. A gata que eu tenho não está aqui porque... eu tenho que ir buscá-la. Eu esqueci que eu deveria ir buscá-la.

Ele olhou de relance para o relógio, que agora marcava 0h20.

— Você deveria ir buscar a gata agora?

Eu o empurrei novamente, e dessa vez ele rolou para o lado com facilidade. Ele estava completamente nu, e eu estava de sutiã e de saia, com minha calcinha ainda enganchada em um dos tornozelos.

— Sim... ela está no veterinário! É, hum, um veterinário 24 horas...

— Um veterinário 24 horas?

— Hum, é. Nós temos isso aqui nos Estados Unidos. Totalmente. — Aquele ácido clorídrico estava soando incrivelmente convidativo agorinha mesmo. — E eu deveria ter ido buscá-la há horas.

— Você não pode ir lá pela manhã?

Tentei deslizar a minha calcinha de volta no meu outro pé, e caí para trás, plantando o bumbum no meu chão duro de madeira.

— Meu Deus, Bliss!

Ele saiu da cama em um pulo e ajoelhou ao meu lado, o que só me deixou mais perturbada, considerando que ele *ainda* estava nu e que *ainda* estava, hum, pronto.

— Estou bem, juro. Estou bem. É só que... se eu não for buscá-la essa noite, haverá uma taxa que eu não tenho como pagar.

— Bem, eu vou me vestir e eu acompanho você.

— NÃO! Hum, não, não precisa. O seu chaveiro não deve estar chegando logo?

Terminei a frase com um sorriso que eu esperava que dissesse "isso não é lá grande coisa". Eu tenho certeza de que, na verdade, parecia que ele dizia "Eu sou uma pessoa louca, corra agora enquanto você pode!"

Ele olhou de relance para o relógio, com o rosto lindo desfigurado pelo cenho franzido.

— Eu acho que sim... é.

— Ótimo. Eu só vou... eu só vou sair correndo. Você pode, hum, sair na hora em que estiver... — Meus olhos vagaram pelo corpo dele de novo, e eu me senti como se estivesse derretendo em uma poça de idiotice, mortificação e excitação. — Na hora em que você estiver, hum, pronto. Hum, acabado. Hum, simplesmente na hora em que você quiser sair.

Então eu saí voando pela cortina que funcionava como um escudo que separava meu quarto do restante do apartamento e saí voando pela porta, ignorando-o enquanto ele chamava meu nome.

Só foi quando eu estava no meio do caminho, cruzando o estacionamento que eu me dei conta do seguinte:

1. Eu não estava usando sapatos.

A. Nem uma blusa.

2. Eu não tinha trazido minhas chaves.

A. Nem nada, para falar a verdade.

3. Eu havia acabado de deixar um perfeito estranho no meu apartamento.

A. Nu.

Quem quer que tivesse dito que encontros sexuais de uma noite só deveriam ser algo simples, com uma ausência de obrigações, claramente nunca havia se deparado com o desastre que eu era.

CAPÍTULO 7

Quatro.

Esse era o número de pessoas que haviam me visto me escondendo em um canto do meu próprio apartamento só de saia e sutiã.

Onze.

Esse era o número de mordidas de formiga que eu consegui nos meus pés descalços.

Vinte e sete.

Esse é o número de vezes em que fiquei tentada a infligir dano físico em mim mesma porque eu sou uma IMBECIL!

Uma.

Esse é o número de vezes em que tentei não chorar, mas fracassei.

Garrick permaneceu no meu apartamento por uns bons dez minutos depois que saí de lá. O tempo todo minha mente parecia a de uma criança de cinco anos que tinha acabado de beber uma banheira cheia de energéticos. O que ele estava fazendo lá? Será que ele estava se vestindo *reeeaaalmente* com essa tamanha lentidão? Será que ele estava remexendo nas minhas coisas? Será que ele estava zoando meu apartamento porque eu tinha fugido e o havia deixado lá, como se ele fosse o maior dos babacas desde Kanye West, que havia arruinado a noite da Taylor Swift no VMA de 2009?

Quando ele finalmente saiu do meu apartamento, fiquei observando enquanto ele fechava a porta, e depois fez uma pausa. Ele olhou para o número em metal do apartamento, preso com um prego na lateral e só ficou encarando a numeração por um tempinho. Então ele balançou a cabeça e começou a seguir na direção de seu próprio apartamento.

Eu fiquei esperando até que não mais pudesse vê-lo, e então esperei por mais cinco minutos só por segurança (mais 6 mordidas de formigas, mais 1 pessoa passando por mim, e 4 visões de autoflagelos posteriormente).

Tão logo eu entrei no apartamento, admiti a derrota e me enrolei na cama. Na mesma cama em que eu quase tinha acabado de fazer sexo. Na mesma cama em que eu havia *desejado* fazer sexo... quase. Na mesma cama que havia acomodado um cara britânico incrivelmente sexy e totalmente nu. Talvez eu simplesmente houvesse pulado de um penhasco na terra dos malucos, mas eu podia jurar que o edredom ainda estava cálido onde o corpo dele havia estado. Como uma completa psicopata, apoiei o rosto no travesseiro e o cheirei como fazem as garotas em livros e nos filmes para ver se eu conseguia ainda captar o cheiro dele.

Eu não conseguia. E me sentia supersinistra.

Eu também não conseguiria dormir nessa cama sem enlouquecer.

Levei meu travesseiro para o sofá, onde fiquei sentada, entorpecida, provavelmente em estado de choque. No mínimo dos mínimos, eu poderia me confortar com o fato de que essa era apenas uma humilhação particular. Ninguém mais teria que saber o quão patética eu era. E, depois da minha exibição beirando a esquizofrenia de antes, eu tinha plena certeza de que ele me evitaria com tanta avidez quanto eu havia planejado evitá-lo. Nós podíamos morar no mesmo complexo de apartamentos, mas se eu fizesse as coisas do jeito certo, nunca mais teríamos que nos ver de novo.

* * *

A manhã chegou cedo demais, e eu estava dura de ter dormido na porcaria do meu sofá a noite inteira. Além do mais, minha cabeça latejava como se eu realmente tivesse dado um soco na minha própria cara do modo como eu ficara tentada a fazer na noite passada.

Droga de tequila.

Eu me movi como uma lesma, me arrastando para dentro e para fora do chuveiro em um ritmo muito mais lento do que o normal. Meus cabelos ainda estavam molhados quando ouvi alguém bater à minha porta. Ao abrir a porta, Kelsey praticamente caiu em cima de mim porque ela tentava espiar pelo olho mágico.

Em silêncio, ela moveu os lábios perguntando:

— Ele ainda está aqui?

Soltei um suspiro e disse:

— Não, Kels, ele já foi.

Eu me virei para longe dela, segurando a cabeça para tentar fazê-la parar de girar. Deixei a porta aberta e saí andando, sabendo que ela entraria de qualquer modo, convidando-a ou não.

— Alguém está bem irritadinha essa manhã. O que foi? Foi horrível? Ele era, tipo... minúsculo?

— Ele não era minúsculo!

Não que eu tivesse muito com o que comparar, mas eu estava bem certa de que esse não era o caso.

— Ah, então só foi ruim?

Eu deveria ter dito a ela que eu não tinha ido até o fim, mas minha cabeça estava latejando e meu estômago se revirando, e eu *não* queria ser forçada a sair hoje à noite de novo para tentar uma segunda vez.

Então eu menti.

— Ele foi ótimo. Eu só estou de ressaca.

— Ótimo? ÓTIMO? Ah, vamos lá! Aquele cara era lindo! Por favor, pelo menos finja que você gostou!

— Eu realmente gostei daquilo! — Se por "aquilo" nós estivéssemos falando da única e melhor sessão de amassos da minha vida. — Eu gostei dele.

Essas palavras estavam fora da minha boca antes mesmo de eu realmente pensar nas consequências.

— Ah, não! — gritou Kelsey. — Não, você não gosta não! Eu sei que ele foi o seu primeiro e tal, mas isso não quer dizer que você tem que pular para o amor instantâneo. Aquilo foi puramente físico, só isso. Se você tentar fazer algo idiota, como se casar com esse cara, eu vou arrastar você aos chutes e aos gritos para fora do altar.

— Não! Você está certa, claro. — Eu dei de ombros, como se não fosse grande coisa, mas minha garganta estava ficando seca, e eu podia sentir a pele do meu pescoço e das minhas bochechas ficando vermelha. Eu esperava que ela fosse presumir que eu estivesse envergonhada, porque normalmente Kelsey era capaz de sacar minhas mentiras como ninguém. — Eu juro que não é grande coisa. Não estou apaixonada por ele. Não vou me *casar* com ele. Na verdade, eu mal me lembro da maior parte do que aconteceu.

E, por "mal me lembro da maior parte do que aconteceu", eu estava me referindo à maior parte do que, na verdade, *não* aconteceu. Mas o resto... estava impresso no meu cérebro. Nem mesmo a todo-poderosa tequila poderia ter tirado essas lembranças de mim. Eu só desejava que ela tivesse tirado as lembranças de como havia terminado.

— Bem, isso é um saco, mas está tudo bem, certo?

— É. — Forcei um sorriso. — Está tudo bem.

Kelsey me abraçou e parecia um daqueles momentos em que nós deveríamos nos conectar ou criar laços ou pensar na mesma coisa, mas, visto que tudo da minha parte era mentira, eu apenas retribuí o abraço dela, e tentei fingir que ela estava me confortando em relação à minha falta de jeito.

— Tudo bem, agora mexe esse seu traseiro. Se eu não tomar café antes das aulas, vou morrer. Ainda estou com o sono atrasado por causa do recesso do Natal, e eu me sinto como um maldito de um zumbi.

Zumbi, para Kelsey, queria dizer que ela estava em 6 na escala de animação em vez de 10.

Sempre achei que eu fosse extrovertida, até o dia que me tornei uma estudante de artes cênicas. Então me dei conta de que eu simplesmente não gostava do silêncio. Quando havia bastante gente ao meu redor disposta a serem aqueles a entreter, eu descobri que eu preferia muito mais ficar apenas observando.

A Starbucks no *campus* estava infestada por uma horda de zumbis composta de outros alunos privados de sono. Na hora em que consegui pegar o meu *macchiato* de caramelo, eu já estava bem acordada, e, definitivamente, nós iríamos chegar atrasadas na primeira aula do último semestre do nosso último ano de faculdade.

Nós seguimos ao prédio de Belas Artes, passando voando como uma brisa pelos alunos *hipsters* de arte que fumavam do lado de fora. Descemos correndo o corredor para descobrirmos com certeza que as portas do pequeno teatro experimental onde tínhamos aulas de atuação já estavam fechadas.

— Shipoopi — disse Kelsey.

Então... porque estudamos teatro... nós começamos a cantar a música de *The Music Man*. Porque às vezes a vida só precisa de um pouco de música. (Mas nós fizemos isso baixinho e meio que em câmera rápida porque nós ainda *estávamos* atrasadas para a aula.)

Não tinha como entrar nesse teatro sem fazer muito barulho. As portas rangiam e batiam, não importando o que a gente fizesse para evitar. Empurramos uma das portas para abri-la e, de imediato, ouvimos Eric Barnes, o chefe do departamento, dizer:

— Atrasadas!

Ativamos a resposta automática:

— Desculpa, Eric!

Tomando cuidado para não derrubarmos nossos cafés, empurramos e passamos pela cortinas que cercavam a beirada da sala, e ocupamos os assentos vazios mais próximos nas arquibancadas laterais.

Coloquei abaixo meu café e fui organizar minhas coisas, fuçando na minha bolsa em busca de uma caneta e da minha pasta.

— Como eu estava dizendo — continuou Eric. — Ben Jackson deveria dar aulas nesse curso. — Ben era praticamente nosso professor predileto, mas haviam lhe oferecido um papel em uma peça na Broadway e ele ia ficar o semestre fora. — Porém, como vocês sabem, ele vai passar uns meses em Nova York. Nós temos um dos nossos mais talentosos ex-alunos para substituí-lo pelo momento, o Sr. Taylor.

Finalmente encontrei um lápis com a ponta não afiada no fundo da minha bolsa. Teria que servir. Kelsey escolheu aquele minuto para agarrar meu cotovelo e me virar na direção dela. Ergui o olhar para ela e então voltei o olhar para a frente da sala de aula, que era para onde ela estava olhando. Foi então que o lápis que me esforcei tanto para achar caiu da minha mão e saiu rolando pelo chão, perdido no abismo debaixo das arquibancadas.

O novo professor estava me encarando, mesmo embora todo mundo estivesse batendo palmas, e ele provavelmente deveria estar acenando ou, no mínimo, sorrindo. Nossos olhos se encontraram e, de repente, eu fiquei muito feliz por já haver colocado meu café de lado.

Porque o novo professor havia estado nu na minha cama havia meras oito horas.

Garrick era o meu professor.

CAPÍTULO 8

Parecia que haviam se passado horas antes de ele desviar o olhar de mim. Quando ele fez isso, o sorriso que ele deu para a classe era inquieto, e ele puxava, distraído, a gravata que tinha em volta do pescoço.

— Obrigado, Eric, mas, por favor, pessoal, podem me chamar de Garrick.

Acho que eu podia na verdade sentir os hormônios sendo liberados na atmosfera quando as garotas na sala ouviram o sotaque dele. Senti que Kelsey estava com os olhos fixos em mim, mas fixei os meus nas luzes suspensas lá em cima do palco, e tentei pensar de modo que as batidas do meu coração se acalmassem. Isso era ruim. Isso era ruim. Isso era RUIM DEMAIS!

— Como disse ao Eric, eu me graduei aqui, e depois terminei a pós-graduação no último mês de maio, com um Mestrado em Belas Artes em Atuação, pela Universidade de Temple, na Filadélfia. Eu estava trabalhando fazia cerca de seis meses na cena teatral quando Eric me ligou e me perguntou se eu estaria interessado em assumir esse cargo temporário como professor aqui.

Olhei de relance e de esguelha para ele, ao mesmo tempo na expectativa e temendo o pensamento de travar contato visual com ele. Ele não estava olhando para mim. Para falar a verdade, o corpo inteiro dele estava virado em um ângulo na direção dos alunos do outro lado da sala, praticamente ignorando a parte inteira onde eu estava sentada. Além do fato de que ele estava deliberadamente não olhando para um lado da sala, não havia nenhum sinal de que estivesse preocupado ou irritado de alguma forma; enquanto eu podia sentir o ardor nas minhas bochechas e podia sentir que minhas mãos tremiam enquanto eu pressionava os meus joelhos com elas.

— Eu adorei meus quatro anos aqui, e estou, hum...

Ele olhou de relance para mim, e não pude fazer nada além de olhar para ele de volta, com os olhos arregalados e petrificada. Ele pigarreou e voltou seu olhar contemplativo para o outro lado da sala.

— Estou realmente animado em estar de volta.

Eu queria rastejar, entrar em um buraco e morrer.

Eu queria entrar em um buraco no fundo de uma penhasco, rastejando, e então ser enterrada por uma avalanche e, depois, morrer.

Eu queria... chorar.

Eric pediu licença e então saiu, para que conhecêssemos nosso novo professor. Eu desejava que pudesse pedir licença e sair também, porque acontece que eu já o conhecia muito bem.

— Bem, então... — Garrick começou a dizer. — Estou vendo que eu não sou tão mais velho assim do que vocês, pessoal.

Mais uma vez os olhos dele voltaram-se para os meus. Isso se tornava quase impossível engolir.

— Mas minha meta aqui é fornecer a vocês um pouco de *insight* quanto à próxima etapa em suas jornadas, vindo de alguém que não está tão longe assim do ponto onde vocês se encontram. Todos nós adoramos o Eric, o Ben, a Kate e o restante do corpo docente, mas vamos encarar a verdade, eles não são exatamente as crianças mais novas no pedaço. — A classe inteira deu risada. Eu estava muito ocupada me concentrando para não vomitar. — Esse era um mundo diferente quando eles começaram as suas carreiras. Quando eu estava sentado onde vocês estão, nós chamávamos essa aula de Preparatório Sênior, agora eu acho que é chamada de Negócios do Teatro. Na aula, vamos abordar de tudo, desde audições até opções de carreiras para o valor do ator. Nós também passaremos algum tempo falando sobre o lado mais abstrato das coisas. Porque eu odeio ter de falar isso a vocês, pessoal, mas a parte mais difícil desse negócio não é conquistar papéis e nem fazer o dinheiro durar até o fim do mês, embora isso seja difícil. A coisa mais difícil é persistirmos animados e nos lembrarmos do motivo pelo qual fizemos essa escolha em primeiro lugar.

Ele não tinha de se esforçar muito para nos assustar em relação aos nossos futuros. Todos nós já estávamos operando no Nível de Ameaça. Nós já vínhamos tendo conversas e fazendo exame de consciência no meio da noite (enquanto estávamos bêbados, é claro), desde que o ano começara.

— Agora, se vocês não se importam, eu gostaria de ouvir um pouco sobre todos vocês. Por que vocês não me dizem seus nomes e no que estão interessados em fazer depois de se formarem?

Havia cerca de vinte alunos na sala de aula. Os primeiros oito, mais ou menos, todos recitaram os nomes deles seguidos pelo obrigatório "Eu vou me mudar para Nova York".

Quando se é um ator, mudar-se para Nova York é quase o sonho de todos. Os sortudos podem na verdade fazer disso o seu plano. Alguns de nós temos que pensar em termos mais realistas.

Cade, meu melhor amigo além da Kelsey, disse:

— Cade Winston. No momento eu estou um pouco dividido entre fazer a pós-graduação e seguir direto para as audições. Eu realmente não sei dizer se eu *quero* mesmo fazer pós-graduação ou se eu estou apenas assustado.

Garrick sorriu e mesmo embora eu estivesse surtando, eu também sorri. Eu me sentia daquele jeito em relação a muitas coisas na minha vida... não apenas em relação a atuar.

Ele disse:

— Que bom, isso é ser honesto, Cade. E quanto mais honesto você for consigo mesmo, melhor. Esperanças e sonhos são ótimos, mas eles são muito mais fáceis de serem partidos do que um plano sólido. Nós veremos se conseguimos saber exatamente o que você quer enquanto você estiver nessa aula.

Depois disso, foi como se todo mundo se sentisse à vontade para falar o que realmente estava pensando, em vez do que sentíamos do que era esperado de nós.

Passamos tanto tempo defendendo a nossa escolha de fazer isso que se tornou difícil mostrar qualquer vulnerabilidade que fosse. Só se aguenta algumas vezes lidar com alguém nos perguntando sobre o nosso retrocesso quando as coisas não dão certo antes de começarmos a pensar que retroceder talvez deveria ser simplesmente nosso plano.

Às vezes eu gostaria de ser um pouco mais como a Kelsey. Ela era praticamente destemida. Embora eu ache que seja fácil ser um pouco destemida quando se tem uma família cheia da grana.

— Kelsey Summers. Eu vou tirar um ano de folga para viajar e apenas explorar o mundo antes de decidir o que vou fazer. As pessoas sempre dizem que os atores mais interessantes são as pessoas mais interessantes, então eu acho que é um bom investimento passar um tempinho me tornando mais fascinante do que eu já sou.

— Diva — murmurei baixinho.

Ela estreitou os olhos e me deu um rápido beliscão na parte de trás do meu braço em resposta. Dei um gritinho e quase caí do meu assento ao mesmo tempo em que Garrick voltou seus olhos para mim e disse:

— E você?

Esfregando o braço, eu tive que desviar o olhar dos olhos dele antes que conseguisse responder.

— Bliss Edwards. Estou um pouco dividida entre atuar e fazer direção de cena. E já que eles não oferecem realmente programas de mestrado em que se possa fazer os dois, eu acho que vou simplesmente seguir em frente e entrar no, hum, mercado de trabalho ou seja lá o que for.

Voltei a olhar para ele, mas seus olhos já haviam se voltado para Dom, que estava sentado em uma fileira acima de mim.

Eu fechei os olhos e inspirei fundo. A mão de Kelsey encontrou a minha, que ela apertou de leve.

Levou mais uns vinte muitos para terminar as apresentações porque, bem, nós somos um pessoal do teatro. Nós adoramos ouvir a nós mesmos falar.

Com apenas vinte minutos sobrando na aula, Garrick disse:

— Ótimo. Ao que me parece todos vocês pelo menos já pensaram no seu próximo passo. Na quarta-feira eu quero que todos vocês venham para a aula com seus currículos e preparados para uma audição.

— Para quê? — perguntou-lhe Dom. — É a primeira semana de aula. Não haverá nenhuma audição por algumas semanas.

Dom adorava se ouvir falar mais do que a maioria.

— Isso não importa — foi a resposta de Garrick. — No mundo real, pode ser que você vá a dez audições em um dia. Você poderia ter semanas para se preparar ou pode ser que tenha uma hora. Seu trabalho é somente de atuar quando você consegue o papel, até então, seu trabalho é fazer audições, então é melhor que você seja bom nisso. Vocês estão dispensados. Vejo todos vocês na quarta-feira.

Ele abriu um largo sorriso, que não era tão inspirador quanto os sorrisos que ele tinha dado na noite passada, mas ainda era o bastante para fazer com que meus passos ficassem incertos enquanto eu descia a arquibancada.

Eu estava nas cortinas, a meros três metros da porta quando ouvi:

— Senhorita Edwards, posso falar com você por um instante?

A expressão no rosto de Kelsey estava entre a pena e o júbilo. Pela primeira vez em doze horas eu queria socar alguém que não fosse eu mesma.

— Almoço ao meio-dia? — ela me perguntou.

Eu assenti, mesmo não estando certa de que sobreviveria até o meio-dia. Que inferno, eu nem sabia ao certo se conseguiria ter estômago para ir a minha próxima aula.

Fui devagar caminhando em direção a ele, esperando que o restante do pessoal saísse da sala. No momento, Dom bombardeava Garrick com perguntas, então fiquei um minutinho me distraindo com Cade. Ao passo que Kelsey era a amiga que me arrastava até os bares e encorajava comportamentos imbecis, Cade era o amigo que sempre sabia a coisa certa a dizer.

As primeiras palavras dele:

— Em uma escala de um a dez, como está sua ressaca?

Ergui o canto da boca com um sorriso. Isso era tudo o que eu conseguia fazer em meio ao meu vórtex de emoções, mas era um sorriso mesmo assim.

— Depende... agorinha mesmo? Um consistente sete. Se o Dom tentar puxar conversa comigo... nós vamos precisar de uma escala maior.

Cade deu risada, e algo me fez imaginar como teria sido a noite passada se eu tivesse contado a ele o meu segredo, em vez de contá-lo à Kelsey. De alguma forma eu duvidava que as coisas teriam saído do mesmo jeito.

— Eu preciso correr. Aula de ciência política. — Ele fez uma careta, e eu concordei com ele, feliz por ter me livrado disso, fazendo essa matéria no ano passado. — Vamos fazer alguma coisa hoje à noite, ok?

— Com certeza.

Dessa vez eu abri um sorriso de verdade, porque o Cade era ótimo para nos distrair, e isso era definitivamente do que eu precisava nesse exato momento: distração.

Ele me deu um beijo na bochecha e depois seguiu seu caminho.

Eu me virei em direção a Garrick e me deparei com ele me observando, com os olhos escurecidos e estreitados. Dom já tinha ido embora fazia tempo. Ele devia ter saído pelas portas do outro lado. Nós ficamos lá, parados e em pé, sem jeito, durante vários segundos. As mãos dele estavam enfiadas em seus bolsos, e as minhas estavam mexendo, inquietas, com a bolsa jogada na diagonal, nos meus ombros.

Por fim, ele pigarreou e disse:

— Como está sua perna?

Engoli em seco, e baixei o olhar para as minhas pernas. Eu havia vestido uma saia hoje para manter a área descoberta. Inclinei a perna de modo que ele pudesse ver o curativo.

— Boa. Troquei o curativo hoje pela manhã. Formou uma bolha, mas até onde eu sei, ou segundo o que eu li na internet, isso é normal.

Olhei para trás, mas os olhos dele ainda estavam fixos nas minhas pernas. Fiquei rígida. Meu Deus, isso era tão embaraçoso.

Ele pigarreou de novo.

— Então... você está fazendo faculdade.

— Então... você não está.

Ele permaneceu imóvel por mais um segundo, e então se virou abruptamente para o lado, dando vários passos para longe de mim, e depois ele voltou. Seus dedos puxavam seus cabelos em frustração, e tudo em que eu conseguia pensar era nos meus próprios dedos nos cabelos dele, e no quão macios eles eram.

— Eu pensei... — ele começou a dizer. — Bem, eu não estava pensando muito de jeito nenhum, mas não parece que você é aluna de faculdade. Eu disse que fiz faculdade aqui e que havia acabado de me mudar de volta para cá e você disse "eu também", então eu presumi que você tinha feito a mesma coisa que eu.

Continuei tendo essa necessidade irracional de piscar. Eu não estava chorando nem nada, mas simplesmente não conseguia parar. Eu disse:

— Morei no Texas quando era bem novinha. Foi isso que eu quis dizer, que eu me mudei para cá para fazer faculdade.

Ele assentiu uma vez, e depois continuou assentindo. Então ele assentia e eu piscava e nenhum de nós dois dizia o que realmente precisava ser dito.

E, visto que eu não suportava silêncio, fui a primeira a quebrá-lo:

— Eu não vou contar a ninguém.

Ele ergueu as sobrancelhas, mas eu não sabia dizer se era porque ele estava surpreso ou se estava me julgando ou se não passava de um tique facial.

— Quero dizer... não que haja alguma coisa... não que nós... quero dizer, na verdade, nós não... hum, formamos a besta de duas costas e coisa e tal.[2]

AH. MEU. DEUS.

---

[2] No inglês, "make the beast with two backs", é uma gíria para se referir a relação sexual cujo primeiro uso na língua inglesa ocorreu por volta do ano de 1603, por William Shakespeare, em Otelo ("I am one, sir, that comes to tell you your daughter and the Moor are now making the beast with two backs"). (N. T.)

PODEMEMATARAGORAMEMATAAGORAMEMATAAGO-RAMEMATAAGORAMEMATAAGOOOOOORA!

A besta de duas costas? Sério?

Eu tenho vinte e dois anos de idade e, em vez de simplesmente cuspir a palavra sexo, eu usei uma referência de Shakespeare! Uma referência de Shakespeare *realmente* embaraçosa.

E ele estava sorrindo! E o sorriso dele provocava coisas engraçadas em minhas entranhas, e que me levava a pensar na noite passada, o que era definitivamente algo no qual eu não precisaria pensar agorinha mesmo. Nada de bestas. Nada de costas. Nada de noite passada.

Desviei o olhar, tentando manter a compostura. Inspirei fundo, e disse com o máximo de calma que consegui:

— Isso é algo para o qual não temos que dar muita importância.

Ele demorou um tempinho para responder, e eu fiquei me perguntando se ele esperava que eu olhasse para ele. Se fosse isso, ele teria de esperar um bom tempo.

— Você está certa. Nós dois somos adultos. Podemos simplesmente esquecer o que aconteceu.

De maneira alguma eu podia esquecer o que havia acontecido. Mas eu podia tentar. Eu podia fingir.

— Certo — assenti.

Eu me virei para ir embora, mas a voz dele me fez parar.

— Como está a sua gata?

— Que gata? Ah! *A MINHA GATA.* A gata... que é minha. Ah, ela está... — Eu tinha dito que era uma gata, certo? — Ela está bem. Toda miando e ronronando e fazendo outras coisas que os gatos fazem. — Ah, meu Deus, por que a porta tinha que ficar tão longe? Continuei andando para ir embora, dizendo as minhas últimas e poucas palavras por cima do ombro. — Eu tenho que ir para a aula. A gente se vê na quarta-feira, eu acho, ok? Tchau!

Fui andando em alta velocidade porta afora, desci o corredor que dava para a ala de artes, passei pela sala de aula de cerâmica, e entrei no banheiro para deficientes que nunca ninguém usava. Então eu afundei no chão, de joelhos (no CHÃO DE UM BANHEIRO! É claro que eu estava perturbada porque... QUE NOJO!).

Eu me concentrei em não hiperventilar. Só eu poderia ter um caso com um professor por acaso. De uma coisa eu estava convicta: de maneira alguma eu iria para minha próxima aula.

CAPÍTULO 9

— Eu juro que havia um tanto de algo embaraçoso no ar, que parecia praticamente sólido.

Meu rosto estava pressionado junto à mesa na área de descanso dos alunos enquanto Kelsey tentava me fazer comer batatas fritas e outros maravilhosos carboidratos.

Ela me deu uns tapinhas nas costas sem entusiasmo. Não havia nada remotamente materno em Kelsey, mas pelo menos ela estava tentando.

— Você está exagerando, Bliss. A única coisa que eu senti no ar foi tensão sexual. Quero dizer, ele não ficou olhando pra você o tempo todo, mas quando ele olhou... Olá?! Era pra se desmaiar!

— De jeito nenhum eu posso sobreviver a um semestre naquela aula.

— Isso é ridículo. Você é uma atriz. Atores dormem uns com os outros o tempo todo, e depois seguem em frente. Que inferno!... Você não se lembra do ano em que éramos calouras, quando você não queria dar uns amassos no Dom naquela cena e o Eric mandou vocês dois irem para a outra sala e falou para vocês se beijarem até que se sentissem confortáveis um com o outro?

— Por que você tinha que trazer isso à tona, logo hoje, no segundo momento mais mortificante da minha vida?

Ela revirou os olhos.

— Porque você superou isso.

— Eu nunca vou superar ter tido a língua do Dom na minha garganta. Eu ainda posso sentir o gosto da babaquice dele.

— Você vai ficar bem, Bliss. São cinco meses. E você só tem que ver o cara três horas por semana. Isso estará acabado antes mesmo que você perceba. Então você poderá transar com ele mais uma vez antes de viajar pelo mundo comigo.

— Há tantas coisas doidas nessa sua declaração que nem mesmo sei por onde começar.

— Você vai começar comendo, ou estaremos atrasadas para a aula de direção.

Resmungando, enfiei umas poucas batatas fritas dentro da boca para aplacá-la. Kelsey revirou a bolsa procurando pelo seu celular, mas as suas mãos se fecharam em uma outra coisa.

— Ah, eu tinha esquecido. Eu tenho Advil... quer um?

Engoli o que estava comendo e disse:

— Por que eu ia querer isso?

Ela virou abruptamente a cabeça para o lado.

— Você não está dolorida depois de... sabe... fazer aquilo?

Bliss idiota. Tão tremendamente idiota.

— Oh! Ah, certo. Não, não, estou bem. Tomei alguns hoje de manhã. Estou bem, obrigada.

— Isso aí, garota!

Eu passei o resto do dia no piloto automático, pronta para ir para casa e rastejar para dentro do casulo do esquecimento que é o sono. Nem mesmo me dei ao trabalho de me despir antes de cair na cama.

Meu celular me acordou umas poucas horas depois disso. Era o Cade.

— Ei, gata... pronta para sair?

Espiei com a vista anuviada o relógio. Eram apenas sete da noite. Bocejei.

— Sim... claro. Você pensou em fazermos o quê?

— Bem, eu estava pensando...

— Nada de beber — eu o cortei. — Eu não consigo lidar com mais nenhuma bebida.

Ele riu.

— Nada de beber mais álcool para curar a sua ressaca? Tudo bem. Lindsay vai tocar hoje no Grind. Que tal um café?

Bocejei de novo. Lindsay era uma colega de teatro. Uma noite ouvindo a música dela seria simples e agradável. Exatamente isso de que eu precisava.

— Café. Perfeito.

Quando eu caminhava lá fora, vinte minutos depois desse telefonema, eu virava a cabeça de um lado para o outro, paranoica com a possibilidade de esbarrar no Garrick. Quando tive certeza de que ninguém estava por perto, corri para dentro do estacionamento e entrei no Honda velho e detonado do Cade, que me cumprimentou com um sorriso. Resisti à premência de olhar para trás de relance na direção do apartamento do Garrick.

— Eu me esqueci de mencionar mais cedo que você estava ótima hoje. Quero dizer, tirando a sua adorável ressaca. Você nunca usa saia para ir a aula.

Eu queria dizer "Apenas dirija isso logo de uma vez!", mas até mesmo para mim isso teria soado loucura. Então eu respondi:

— Ah, eu queimei a perna, e não devo usar nenhuma roupa justa por cima do local da queimadura.

— Sério? — ele me perguntou. — O que houve?

Eu não podia dizer a ele exatamente qual era o verdadeiro motivo por trás da minha queimadura. Porque ele então ia querer saber de quem era a moto em que eu estava e por que eu estava com o dono da moto e blá-blá-blá.

— Oh, eu a queimei com minha chapinha.

— Você queimou a sua perna com sua chapinha? O quão longos são os pelos da sua perna?

Seria de se pensar que depois de toda a mentira que eu havia contado nas últimas vinte e quatro horas eu estaria um pouquinho melhor nesse lance de mentir, certo? Errado.

— He-he. Que engraçado! — Fiz uma careta. — Eu a derrubei de cima do balcão, seu besta, e ela caiu na minha perna.

Fiquei mexendo na saída do ar-condicionado mesmo que ele mal funcionasse nesse pedaço de sucata velha.

— Só não derrube o seu café em si mesma. Ou, melhor ainda... pegue café gelado.

Falei:

— Sim senhor, capitão.

O Grind era uma casinha numa das extremidades do *campus* que tinha sido transformada em cafeteria fazia alguns anos. Lá dentro a gente pedia café, e do lado de fora havia uma varanda onde eles tinham um pessoal tocando música na maioria das noites. Lá dentro estava lotado. Mandei o Cade ir lá para fora para ver se achava um lugar para nos sentarmos, e disse a ele que eu pegaria as bebidas. Peguei um *mocaccino* gelado para mim e um *smoothie* para Cade. Ele nem mesmo gosta de café, mas ele vem aqui por minha causa.

Fiquei na fila por uns dez ou quinze minutos, então, na hora em que me dirigi lá para fora, eu não fazia a mínima ideia de onde Cade estava. Passei andando devagar pelas mesas, assentindo para as pessoas que eu conhecia, evitando travar contato visual com desconhecidos. Meu olhar se encontrou com o de Lindsay lá em cima no palco enquanto ela se preparava, e ela abriu um largo sorriso.

Por fim, eu avistei Cade em pé e parado perto de uma mesa lá na frente. Aquele era um lugar incrível, considerando-se que estava lotado.

Apareci atrás dele, e cutuquei-o nas costas com o cotovelo.

— Meu Deus, Cade, eu achei que eu nunca fosse encontrar você. Você não poderia pelo menos ter me enviado uma mensagem me dizendo onde você estava?

Cade olhou de relance por cima do ombro para mim, e então envolveu o meu ombro com o braço e pegou o *smoothie* da minha mão esquerda.

— Desculpa, gata, eu estava conversando e me distraí. Veja quem está aqui!

Ele me puxou para a frente e lá estava Garrick. Dessa vez eu não tive sorte o suficiente para já ter colocado o meu café na mesa. Então, quando vi Garrick, o café deslizou da minha mão e se espalhou totalmente por cima dos meus pés. Cade, com seus reflexos super-rápidos esquivou-se por pouco de ter o líquido cobrindo totalmente seus sapatos Toms.

— Caramba, Bliss. Eu estava brincando quando falei do café gelado, mas eu fico feliz por você ter me dado ouvidos. Eu juro que você não costumava ser assim tão desastrada.

Eu ainda não conseguia falar. Meus pés estavam frios e pegajosos. E meu rosto estava quente demais.

— Aqui — disse Cade. — Sente-se. O Sr. Taylor disse que nós poderíamos ficar na mesa dele.

— É Garrick, Cade.

Eu tenho certeza de que ele disse isso a Cade já uma meia dúzia de vezes. Cade ignorou-o e voltou-se para mim.

— Eu vou correndo lá dentro pegar uns guardanapos. Você quer alguma outra bebida?

— Não, não. Estou de boa, Cade. Fica você aqui. Eu vou lá me limpar.

— Esqueça. Você gosta da música da Lindsay mais do que eu. Todo esse lance de "ser a mudança" e "poder das garotas". Eu não quero que você perca isso. Senta.

Dessa vez, com as mãos nos meus ombros, ele me empurrou para baixo até que meu bumbum encostou no assento. Então ele se foi, e eu fui deixada sozinha com Garrick de novo.

— O que você está fazendo aqui? — Minha pergunta saiu cheia de raiva.

Em comparação comigo, ele estava doce e calmo, e se fosse possível, um pouco triste.

— A internet ainda não está conectada no apartamento, e eu precisava dar uma olhada no meu e-mail. Eu posso ir embora, se você quiser.

SIM.

— Não — suspirei. — Eu não vou expulsar você daqui. Eu só gostaria que você não tivesse nos convidado para nos sentarmos com você.

— Bem, o Cade não me disse que estava aqui com você. Eu só estava tentando ser legal.

— Eu sinto muito... Eu só... essa situação é tão esquisita. O Cade não sabe que...

— Eu não vou contar a ele, se é com isso que você está preocupada. Eu gostaria de manter esse emprego e, além do mais, sua vida pessoal não é da minha conta. O que aconteceu entre nós dois acabou.

A voz dele foi assumindo um tom mais duro enquanto ele falava. Acabou? Por que isso parecia um soco no meu estômago? Ele estava com os dentes cerrados, atraindo meu olhar para a forte e suave linha de seu maxilar.

— Você fez a barba — falei.

Claramente... eu não tinha nenhum filtro. Ele descerrou o maxilar, e olhou, confuso, para mim.

— Hum, sim, eu fiz a barba.

Nós ficamos sentados em silêncio, e eu simplesmente não conseguia me impedir de olhar para ele. Os olhos dele eram de um azul que nem a água do oceano, e sem a barba rala ele parecia mais novo, menos asperamente sexy e mais como o garoto gostoso da casa ao lado.

Ele baixou o olhar para os meus lábios, e eu me dei conta de que eu estava mordendo o meu lábio inferior. Ah, meu Deus, eu queria beijá-lo de novo!

Eu me levantei do meu assento.

— Isso foi uma má ideia. Eu vou embora. Diga ao Cade que eu fiquei doente ou algo do gênero.

Ele se levantou também.

— Não, Bliss, espera. Eu sinto muito. Não vá embora. Eu vou... Merda. Não sei o que eu vou fazer. Só vou ficar aqui, quieto, e vocês dois podem me ignorar por completo. Juro.

Naquele momento, Lindsay subiu no pequeno palco improvisado e as luzes foram acesas, e as pessoas aplaudiam.

Se eu fosse embora, precisaria fazer isso agora. Se eu me levantasse no meio do set, Lindsay veria e ficaria enfurecida comigo.

Então, contrariando meu próprio bom senso, voltei a me sentar.

Garrick cumpriu com sua promessa e manteve os olhos grudados na tela do seu laptop. Eu fiquei sentada em silêncio enquanto Lindsay fazia a passagem de som, com o pescoço esticado, rígido, para que eu resistisse a olhar para ele.

Cade chegou de volta no momento em que Lindsay se apresentava ao público.

— Ei — sussurrou ele. — O Randy estava limpando as mesas e ele deixou que eu pegasse uma toalha emprestada. Achei que isso seria bem melhor do que um punhado de guardanapos.

Então ele ergueu um dos meus pés grudentos para cima de seu colo, retirou meu sapato e começou a limpar a minha perna com a toalha umedecida. Dei risadinhas quando ele passou a toalha por uma parte da minha perna em particular onde eu sentia cócegas.

Ouvi o Garrick parar de digitar.

Apenas com base no instinto, eu olhei para ele, mas ele estava olhando para Cade... e para minhas pernas. Pigarreei e puxei o pé para trás. Peguei a toalha do Cade e disse:

— Obrigada, eu acho que eu consigo fazer isso. Não confio que você não vá fazer cócegas em mim.

Garrick voltou para o seu computador, Cade concentrou-se em Lindsay, e eu abaixei a cabeça. Quando eu tive certeza de que eles não estavam olhando, cerrei os olhos e deixei escapar um grito silencioso. Um grito de verdade teria sido melhor, mas eu aproveitei o que deu.

Reconheci as primeiras canções da Lindsay, já que a tinha ouvido tocá-las diversas vezes antes, tanto no palco quanto apenas no camarim, durante os ensaios e entre aulas. Lindsay tinha esse incrível e rústico som acústico, e as letras de suas canções eram sempre algum tipo de comentário social, apelando para que as pessoas prestassem atenção em suas bobagens. Motivo pelo qual, quando ela se inclinou na direção do microfone para apresentar a próxima canção, fiquei incrivelmente surpresa.

— A próxima canção é um pouquinho diferente para mim. O adorável dono deste estabelecimento — ela apontou para a lateral. —

Dê um aceno, Kenny. — Ele parecia intimidado, mas acenou. — Bem... Kenny pediu que eu tocasse pelo menos uma canção que não fosse... como é que você se expressou, Kenny? Amarga ou política, acho que foi isso que ele disse. E, visto que eu sou incapaz de escrever algo assim, vou cantar uma canção escrita por um amigo meu que gostaria de permanecer anônimo. A canção se chama "Resist".

A abertura da canção era gentil, com uma simples progressão de cordas, similar ao som normal de Lindsay. Então a melodia mudou, tornando-se triste, apaixonada, quase desesperada. Ela cantava... e eu desejava ter ido embora quando tive a oportunidade de fazê-lo.

Não importa o quão perto, você está sempre tão longe
Meus olhos são atraídos para todos os lugares em que você está.

As conversas que estavam sendo travadas baixinho pararam. Essa era uma mudança tão dramática que todos os olhos se fixaram nela, mas eu poderia *jurar* que senti um par de olhos fixos em mim.

Estou cansada da forma como nós dois fingimos
Cansada de sempre ficar esperando e nunca ceder
Eu posso sentir isso na minha pele, ver isso em seu largo sorriso.
Nós somos mais. Sempre fomos.

Pense em tudo que nós perdemos
Todos os toques e todos os beijos
Porque nós dois insistimos
Em resistir.

O olhar contemplativo de Garrick estava fazendo uma pressão física e pesada em cima da minha pele. O meu coração batia rápido no meu peito, e minhas respirações vinham mais curtas. Eu não queria resistir. Não pude evitar... Olhei para ele.

Prenda a respiração e feche os olhos
Distraia-se com outros caras
Não é nenhuma surpresa, seus suspiros derrotados
Você não está cansada das mentiras?

Mas ele não estava olhando para mim. Ele não estava digitando, mas seus olhos estavam fixos em seu computador e ele parecia... alheio. Era só eu? Será que eu estava imaginando aquilo tudo?

Pense em tudo que nós perdemos
Cada toque e cada beijo
Porque nós dois insistimos
Em resistir.

Não importa o quão perto, você está sempre tão longe
Meus olhos são atraídos para todos os lugares em que você está.

De repente, eu não queria mais estar aqui. Eu não podia ficar assim tão perto dele. Eu ia ficar maluca. Era idiotice... mais idiotice do que teria sido fazer sexo por uma só noite, mas eu *gostava* dele. Ele não gostava de Shakespeare, e guiava uma moto e era meu professor... mas eu *gostava* dele.

Chega! Eu não vou ignorar
Não vou fingir e nem resistir
Eu quero mais.

CAPÍTULO 10

Lindsay terminou de tocar as últimas cordas, e depois colocou a língua para fora e disse:

— Blé! Está feliz, Kenny?

Cade deu risada e soltou um alto "iuuuhuuuu!". A multidão ali reunida começou a bater palmas e a assoviar. Eu tentei levantar as mãos para me juntar a eles, mas elas pareciam chumbo em meu colo.

Olhei para Garrick, e dessa vez ele estava olhando para mim. Seus olhos estavam escuros, e quando nos entreolhamos, ele não fez esforço algum em desviar o olhar. Talvez eu não imaginasse que ele estivesse me encarando antes. Nós ficamos olhando um para o outro enquanto as palmas iam parando e, pela primeira vez em toda a minha vida eu realmente *entendia* aquilo de "coração batendo para fora do peito", porque eu sentia como se houvesse algo dentro de mim desesperado para sair.

Antes de ficar louca, desviei o olhar na marra, levantei-me e puxei Cade para cima pelo cotovelo.

— Ei, o que foi? — Ele era tão bom em ler as minhas expressões e eu fiquei vendo a expressão nos olhos dele passar de divertida para preocupada. — Está tudo bem?

— Sim, claro. Eu só estou cansada. Você pode me levar para casa?

— Sim, claro. — Ele pressionou uma das mãos na minha bochecha, como se fosse a minha mãe vendo se eu estava com febre. Ele mal tirou os olhos de mim enquanto dizia: — Obrigado por nos deixar ficar na sua mesa, Sr. Taylor. A gente se vê na quarta-feira.

— É Garrick, Cade, por favor. Vocês dois, tenham uma boa noite.

Garrick olhava apenas para Cade enquanto falava, e provavelmente era melhor assim. Com um braço em volta do meu ombro, deixei que meu amigo me conduzisse para fora por uma passagem em arco na lateral da propriedade, que dava para o estacionamento.

Nunca havia ficado tão feliz em subir em um carro enferrujado cheirando levemente a óleo e queijo. Cade entrou no carro ao meu lado.

— Tem certeza de que você está bem?

— Sim, eu juro que sim. Só estou cansada.

— Ok. — Ele não parecia convencido disso. — Vou deixá-la em casa então.

Ele girou a chave e nada aconteceu. Nada de motor, nem de luzes, nada.

— Ahh... merda!

— O que foi? — perguntei. — O que isso quer dizer?

— Isso quer dizer que esse meu carro é um lixo!

Ele girou a chave novamente e, quando nada aconteceu, ele estapeou o volante com a mão espalmada. Puxei as pernas para cima no meu assento e deitei a cabeça nos joelhos.

— Espere um segundo.

Cade saiu do carro e ergueu o capô. Permaneci enrolada no meu assento, tentando mentalmente apagar as últimas vinte e quatro horas do meu cérebro. Em algum lugar entre analisar cada olhar que Garrick havia desferido para mim nessa noite e planejar o que eu diria e como eu agiria em nossa próxima aula, eu devo ter caído no sono.

Em seguida, o Cade estava me chacoalhando para que eu acordasse, e o carro, definitivamente, ainda não estava ligado.

Esfreguei os olhos e desci do carro.

— Desculpe-me, acho que eu estava mais cansada do que pensava.

— Escuta, nós não conseguimos ligar o carro e nós já tentamos tudo em que pudemos pensar.

Meu cérebro não registrou o uso da palavra "nós" até que o capô começou a ser baixado e Cade ainda estava em pé ao meu lado.

E, é claro, lá estava o Garrick *de novo.* Porque o mundo simplesmente não podia facilitar nada para mim.

— Nós até mesmo tentamos fazer o carro pegar usando a moto do Sr. Taylor.

— Eu falei pra você, é Garrick, Cade.

— É, é, eu sei. Então, de qualquer forma, já que eu não moro longe daqui...

Ah, meu Deus. Não. Por favor, não. Cade era assistente residente em um dos dormitórios, o que queria dizer que ele poderia ir andando até em casa. Eu, por outro lado, morava a alguns quilômetros do *campus.*

— Eu perguntei ao Sr. Taylor, e ele me disse que poderia dar uma carona a você. Parece que vocês até mesmo moram no mesmo condomínio.

— Não me diga! — Eu tentei transformar os meus dentes cerrados em um sorriso. — Isso é legal da parte dele, mas eu posso simplesmente ligar para a Kelsey e pedir a ela para vir me buscar. Não é nada demais.

— Mas vocês dois iriam para o mesmo lugar...

A confusão de Cade era benquista, mas eu meio que queria dar um chute nas canelas dele.

— É, mas...

— Bliss — Garrick interrompeu. Meu Deus, eu nunca seria capaz de me cansar de ouvi-lo dizer meu nome com aquele sotaque delicioso. — Está tudo bem. Mesmo. Eu não me importo e deixo você na sua casa rapidinho. Prometo.

Ele estava olhando para mim como se isso fosse a coisa mais normal do mundo. Como se não houvesse problema algum em envolvê-lo com os braços enquanto ele guiava a moto. Como se eu não estivesse ainda com um curativo na perna da última vez em que tinha estado naquela mesma moto.

Cade bocejou. Ele parecia estar tão cansado quanto eu. Eu sabia que se eu forçasse a situação e quisesse esperar pela Kelsey, ele ficaria esperando comigo.

Esfreguei os olhos e inspirei fundo. Não foi fundo o bastante.

— Ok, tudo bem. Obrigada... Sr. Taylor. Então a gente se vê amanhã, Cade.

Cade abriu um sorriso, totalmente alheio ao meu tormento, e disse:

— Ótimo!

Ele deu um beijo rápido na minha testa e desejou boa noite a nós dois e então numa corrida cruzou a rua e entrou no *campus*.

Eu nem mesmo me dei ao trabalho de fazer o lance da respiração para me acalmar dessa vez. Eu sabia que não ia adiantar. Endireitei os ombros e me voltei de frente para Garrick, que me observou por um segundo, com o cenho franzido, e então disse:

— Você *não pode* me chamar de Sr. Taylor!

Apesar da tensão entre nós dois, eu ri. Era mesmo ridículo... considerando...

— Ok... Garrick.

Não havia uma boa maneira de fazer isso, então ele simplesmente me entregou o capacete e subiu na moto. Ele não tinha que me mandar tomar cuidado com o cano de exaustão quando subi na moto, mas ele fez isso mesmo assim.

Nessa noite ele estava com um casaco leve porque uma frente fria (ou, bem... o frio que se pode ter aqui no Texas) tinha acabado de chegar. Eu me segurei no casaco em vez de me segurar nele. A viagem na moto foi ainda mais assustadora sem algo mais sólido em que me segurar, mas eu me recusei a envolver os meus braços em torno dele. Em grande parte porque eu não tinha certeza de que, se eu fizesse isso, eu teria força de vontade para tirar os braços de volta dele.

Quando chegamos, desci da moto em uma questão de segundos. Acho que disse adeus a ele. Para falar a verdade, eu estava tão em pânico que simplesmente saí correndo. E ele deixou que eu fizesse isso. Ao entrar no meu apartamento, eu me arrisquei a olhar de relance para trás. Ele ainda estava na moto e, depois de um segundo, começou a recuar com ela e foi embora. Fiquei observando enquanto ele partia, travando uma batalha contra minhas premências insanas de ir atrás dele.

Não importava o que eu estivesse sentindo... não poderia haver nada entre nós dois.

* * *

Na quarta-feira, fiquei esperando no camarim até o último minuto, de modo que a classe já estivesse cheia na hora em que eu chegasse lá. Eu estava com minha foto de close do rosto e com meu currículo, conforme ele tinha mandado que fizéssemos, e me sentei, junto com Cade, bem na lateral, de modo que havia cerca de uma dúzia de pessoas entre mim e Garrick.

Cerca de um minuto depois das nove, Garrick pediu ordem à classe.

— Certo então. Como eu disse na segunda-feira... nós não vamos perder tempo. Vamos direto ao ponto. Hoje vocês vão fazer audições simuladas usando leituras a frio de *Um bonde chamado desejo*, de Tennessee Williams. Se vocês não leram esse livro, deveriam se questionar se escolheram a carreira certa agorinha mesmo. Eu vou dividir vocês em duplas. As tarefas, junto com o papel que vocês lerão estão na mesa à minha esquerda. Vou pedir para que saiam e vocês terão dez minutos para se prepararem antes de eu chamar o primeiro grupo. Vocês vão notar que a cena que eu escolhi é aquela que leva ao clímax, em que Stanley estupra Blanche, a irmã de sua esposa.

— Cara, ele estupra a mulher? — Esse era Dom falando, obviamente um daqueles que deveria estar reconsiderando a sua opção de carreira.

— Sim, Dom. Agora, o que é difícil nas audições é que, com frequência, vocês devem representar cenas climáticas sem o benefício de ter uma apresentação completa culminando com aquele ponto. Vocês entrarão nessa emocionalmente cegos. Os instantes antes da audição são extremamente importantes. Vocês têm dez minutos para encontrarem uma conexão com seus parceiros e parceiras e com seu personagem. Boa sorte!

Ele deu um passo para o lado, e foi como numa *Black Friday* no Walmart, com os atores indo correndo até a mesa, tentando apanhar um papel e descobrir quem era o seu parceiro. Eu realmente não estava muito a fim de me juntar à multidão, mas Kelsey me agarrou pelo cotovelo e não me deixou com muita escolha.

Peguei o papel, reconhecendo a cena. Garrick não estava brincando quanto a começar bem no clímax. Blanche já está bem doida. Olhei de relance para a folha da tarefa e vocês não vão acreditar... eu faria par com o Dom.

Pressionei uma das mãos na minha testa, sentindo um embotado latejar logo acima do meu olho esquerdo. Dom girou um dos braços por cima do meu ombro um instante depois.

— Olha só, Bliss-maravilhosa, estamos juntos outra vez!

Encolhi o ombro para me livrar do braço dele e me dirigi até a porta.

— Vamos acabar logo com isso, Dominic.

Quando saí do teatro, as duplas já estavam acampadas do lado de fora em diversos lugares em todo o corredor. O único lugar que havia sobrado ficava em frente às portas do teatro, o que era quase garantia de que seríamos a primeira dupla a ser chamada. O que significava que teríamos menos preparação do que todo o resto do pessoal. Só de pensar nisso, eu senti como se fosse desenvolver urticária de tanto nervosismo, mas claramente o mundo estava contra mim hoje. Bem, pelo menos eu terminaria essa aula mais cedo.

— Certo, Dom, vamos ver o que nós temos aqui.

Passei a maior parte dos dez minutos explicando a peça e a cena ao Dom. Ele era um daqueles caras que tinha uma boa aparência e era muito bom em bancar o otário ultraconfiante (principalmente porque ele *era* um otário ultraconfiante), mas praticamente não passava disso.

— Então o meu carinha está bêbado, certo?

— Sim, Dom.

— Legal. E você é louca?

Suspirei.

— Bem, parece que sim. Eu estou um pouco delirante, e você destrói esses delírios.

— Ótimo. E então eu ataco você.

Revirei os olhos. Qual era o sentido disso?

— Sim, claro. De qualquer forma, eu vou abrir a cena sentada na cadeira, e você vai entrar pelo lado esquerdo do palco, ok? Eu não consigo imaginar que ele vá fazer com que encenemos a cena inteira porque ela é meio longa.

E isso foi tudo o que tivemos tempo de fazer porque a porta se abriu e os olhos de Garrick pararam em mim.

— Bliss, Dom, vocês estão preparados?

Dom me puxou para que eu ficasse em pé contra a minha vontade e disse:

— Claro que sim, Garrick.

Preparada era exatamente o oposto de como eu me sentia. Eu *odiava* estar despreparada.

Garrick pegou nossas fotos e nossos currículos e analisou-os em silêncio durante um minuto. Apanhei uma cadeira e levei-a até o centro da sala, e então me sentei nela. Dobrei o papel com minhas falas para a audição de modo que não fosse ficar grande demais e de difícil manuseio. Ele fez com que nos apresentássemos, como se nunca o tivéssemos visto antes, e então nos deu permissão para que começássemos.

A cena era aberta com Blanche vestida com todas as suas melhores roupas (incluindo uma tiara) e conversando com pretendentes imaginários em uma festa também imaginária.

Eu demorei alguns segundos para entrar na cena por causa dos meus próprios sentimentos de temor e inquietação, que eram tão contrários à abençoada ignorância de Blanche, porém, quando cheguei lá, ficou fácil bloquear o restante da sala ao meu redor e me perder nas risadas dela, em seus sonhos e em seus devaneios. Quando Dom entrou, todo cheio de si, com um andar arrogante, eu tive que admitir que ele dava um ótimo Stanley. Apesar de não saber nada sobre a peça, ele exalava o carisma de Stanley, com o seu completo desdém por Blanche.

Fiz uso da minha inquietação quanto à minha situação com o Garrick, permitindo-a infiltrar-se em mim, e dirigindo-a ao Dom. Depois de mais meia página, Garrick nos interrompeu.

— Bom, bom, Bliss, você começou um pouco insegura, mas estava bem no ponto perto do final. Dom, eu acho que você realmente captou a do Stanley. — Resisti à premência de revirar os olhos. — Porém... eu não estou sentindo tanta conexão da sua parte quanto eu sinto por parte da Bliss. Ela está ciente de você o tempo todo, ajustando os movimentos dela aos seus. Eu preciso ver você reagindo um pouquinho mais. Vamos pular direto para a parte antes de você entrar, voltando do banheiro. Comecem com Blanche ligando para a Western Union, e vamos ver se não conseguimos mesmo nos concentrar na conexão um com o outro.

Assenti, movendo-me para o lado oposto do espaço onde eu havia planejado colocar o telefone imaginário. Ele havia escolhido possivelmente a parte mais difícil para eu começar. Nós pulamos a parte em que Stanley destrói o belo e perfeito mundo que eu havia sonhado para mim mesma, e de qualquer maneira tive que transmitir a mesma sensação de medo e paranoia.

Fechei os olhos e inspirei fundo.

Medo. Paranoia. Como eu haveria de me sentir se alguém descobrisse sobre mim e Garrick. Ou se ele descobrisse que eu era virgem. Inferno... como eu me sentia logo antes de nos impedir de fazer sexo. Aquilo era o ápice do medo e da paranoia.

Sentindo-me um pouco mais confiante, eu abri os olhos e fiz a mímica de pegar o telefone. Visto que eu ainda segurava a minha parte do roteiro, eu tive que me abster de fazer a mímica de segurar o fone e simplesmente fingi que falava ao telefone. Ofeguei ao telefone, pedindo para falar com a telefonista.

O medo parecia tão real que lágrimas pressionavam os meus olhos sem nenhum esforço de minha parte. Segui balbuciando, com o pânico aumentando e sufocando minhas palavras.

Minha voz se partiu com meus pedidos de ajuda. A sensação de estar presa veio com muita facilidade. Era sufocante.

Ouvi Dom se aproximar andando por trás de mim, e fiquei paralisada. Recuei, e ele passou pelo espaço entre mim e a porta imaginária. Ele olhou com lascívia para mim, e eu não tive de fingir a repulsa que sentia.

Tentei sair, e ele se pôs no meu caminho. Pedi que ele me deixasse passar, mas ele ficou onde estava. Rindo, ele começou a se esgueirar na minha direção, e eu senti a pancada do meu coração dar levemente um pulo.

Saí do personagem apenas por tempo o suficiente para pensar que estávamos fazendo realmente um bom trabalho. Bem melhor do que eu havia imaginado que faríamos. Então o rosto com um largo sorriso do Dom entrou no meu campo de visão e eu estava de volta ao personagem.

Eu tentei fugir dele, ele continuava vindo, ainda rindo. Então suas mãos se fecharam em volta dos meus antebraços, me puxando para cima e para junto dele.

Eu lutei, contorcendo todo meu corpo para tentar me soltar.

Ele me puxou para junto dele, me apertando com mais força, com força o suficiente a ponto de realmente machucar, e um leve calafrio de inquietação percorreu minha espinha.

O rosto dele estava bem na frente do meu, de modo que eu sentia o calor de seu hálito contra meu rosto. Eu deveria desmoronar, derrotada, e ele me levaria para fora do palco, para a cena do estupro, mas não foi assim que as coisas de fato aconteceram.

Dom deixou seu roteiro cair, me agarrou pelo pescoço e me puxou para a frente, para me beijar.

Chocada, eu o empurrei com a minha mão livre, mas ele continuou vindo, não se dando conta de que era *eu* quem estava protestando, e não Blanche. Eu o empurrei e me contorci, mas ele era muito forte e seus lábios estavam pressionados junto aos meus com tanta força que eu não conseguia fazer nada para que ele parasse com aquilo. Eu estava me preparando para meu movimento final de protesto, uma rápida joelhada no saco dele, quando Dom foi arrancado de cima de mim.

Engoli o ar e vi Garrick, que fervia de raiva, soltar um dos braços de Dom que ele havia torcido nas costas dele em um ângulo esquisito.

— Onde exatamente no roteiro você viu essa direção específica de cena, Dominic? — perguntou-lhe Garrick, com o tom de voz mortalmente baixo.

Eu não ia perder tempo com as questões lógicas. Voei para cima do Dom, empurrando-o para trás.

— Que diabos foi aquilo, Dom? A cena do estupro ocorre *fora do palco,* seu babaca!

Ele agarrou os meus pulsos quando fui empurrá-lo novamente.

— Ei, eu estava tentando me *conectar*! Eu estava improvisando. Isso é o que os atores fazem!

A mão de Garrick desceu sobre o braço de Dom e ele o apertou com um pouco mais de força do que o que seria provavelmente apropriado. Dom soltou meus pulsos de imediato, e eu recuei.

— Seja como for — começou a dizer Garrick —, atores também respeitam uns aos outros. A menos que você queira ser acusado de atacá-la sexualmente, você tem que ver antes com a sua parceira se ela concorda com uma coisa dessas. — Eu podia ver a calma fachada de Garrick se partindo. — Agora vá. Você está dispensado.

Eu podia ver que Dom estava puto. Ele desferiu um olhar pungente, e empurrou e abriu a porta com tanta força que ela bateu com tudo na parede do lado de fora. Eu não podia ter um minuto de paz essa semana! Será que o mundo estava jogando merda em cima de todo o resto do pessoal ou era só comigo?

Senti um toque leve como o de uma pluma no meu braço, e então Garrick estava na minha frente, aninhando o meu braço em suas mãos. Um machucado já se formava no lugar onde Dom havia me agarrado durante a cena. Garrick passou a mão pelo rosto, e então olhou para mim e disse:

— Eu provavelmente poderia ter lidado melhor com isso.

Não me dei conta do quanto a minha cabeça ainda estava latejando até que eu ri, e o movimento fez com que a dor ricocheteasse pela minha cabeça. Fechei os olhos por instinto. Garrick roçou os dedos ao longo do meu maxilar, fazendo com que um terremoto de calafrios passasse pela minha pele onde ele me tocava. Eu mantive os olhos cerrados porque, contanto que eles estivessem fechados, eu não estaria fazendo nada de errado, certo? Mas, se eu os abrisse, e olhasse para aquele rosto maravilhoso dele e visse aqueles lábios... eu estaria cruzando e adentrando um território completamente diferente que era definitivamente muito errado, errado, errado.

Um "Bliss" sussurrado... foi todo o aviso de que eu precisei antes de que os lábios dele estivessem nos meus.

CAPÍTULO 11

Pensei no quanto o beijo seria uma má ideia por exatamente três segundos antes de parar de pensar por completo. A língua dele estava dentro da minha boca, em uma busca furiosa e exigente. Era paixão na sua forma mais crua. Eu sempre tinha fingido entender a química quando os atores ficavam juntos no palco, mas agora eu entendia. O que quer que acontecia quando ele me tocava era como uma reação química: moléculas se transformando, mexendo-se, exalando calor.

Meu Deus, e que calor!

Uma alta risada que eu reconheci como sendo da Kelsey cortou a névoa na minha mente, e eu me forcei a me afastar do Garrick. Havia outros alunos do lado de fora esperando para entrarem. Quanto tempo eu havia ficado ali sozinha com ele?

Ele deu um passo à frente para me acompanhar e ergui uma das mãos.

— Para! Para! Você não pode simplesmente fazer isso! Nós dissemos que iríamos esquecer isso! *Você* disse, na verdade! Você não pode dizer uma coisa dessas e depois fazer isso!

— Eu sinto muito. — Ele não parecia lamentar-se. Parecia que ele queria fazer isso de novo. Balancei a cabeça e fui andando em direção à porta. — Espere, Bliss, eu sinto muito. Isso não vai acontecer de novo, ok?

— Ok.

Isso foi tudo o que eu disse, mas não parecia nem um pouco ok. Ele agia como se eu não quisesse aquele beijo tanto quando ele, mas, eeei!, ele tinha tanto a perder aqui quanto eu! Por que eu era a única que estava pensando nas consequências?

Saí e pude ouvir Dom falando de um jeito grosseiro para alguns caras que haviam se reunido próximo às portas:

— O cara é um tremendo de um cuzão! Ele agiu como se eu estivesse tentando estuprá-la ou algo do tipo. Era só um beijo. Não é como se a gente nunca tivesse feito isso antes.

Revirei os olhos.

— E de alguma forma foi ainda pior dessa vez do que antes. As pessoas não deveriam melhorar com o tempo, Dom?

Os amigos dele riam, mas eu ainda ouvi Dom me chamar de vadia.

Continuei andando. Eu tinha tempo o suficiente para comprar o maior copo de café que eu pudesse encontrar antes da minha próxima aula.

O restante da semana transcorreu sem nenhum evento memorável, ainda bem. Garrick manteve distância de mim e havia bastante coisa acontecendo comigo a ponto de me manter distraída. Nós tínhamos as nossas lições em termos de direção, o que significava que estava na hora de me dedicar ao trabalho e ler, de modo que eu pudesse encontrar uma cena. Na sexta-feira, na aula de Preparatório Sênior, nós falamos sobre as nossas audições e ele nos mandou ler, como tarefa de casa, sobre a Associação da Equidade dos Atores. Então, eu passei a maior parte do fim de semana analisando todas as peças que eu tinha (e a maioria das peças do Cade) e lendo a mais entediante análise dessa Associação conhecida pelo mundo.

A semana seguinte seria a semana das inscrições na nossa primeira Audição Principal nesse semestre, e a penúltima para mim. Se eu não me saísse bem na sexta-feira, eu só teria mais uma chance de fazer uma apresentação antes da formatura. Eu estive na primeira apresentação do ano, e fui diretora de cena em uma outra, mas nada desde então. Eles já haviam me oferecido a posição de Diretora de Palco na última apresentação do ano, mas fiquei com muito medo de aceitar, para o caso de eu não conseguir um papel nessa apresentação. Meu Deus, eu estava mesmo começando a ficar afetada com isso. Estava prestes a me formar, e minha vida não estava nem um pouco perto de onde eu achei que estaria. Quando comecei a faculdade, três anos e meio atrás, eu achava que a essa altura do campeonato eu teria um plano. Eu achava que pensaria positivo em relação ao que eu ia querer fazer e ao caminho que seguia. E, sendo honesta... achava que teria conhecido o cara com quem me casaria a essa altura da minha vida. Quer dizer, todos os casais casados que eu conhecia se conheceram na faculdade, e a ideia de casamento a esse ponto me parecia absurda.

Não ajudava que a pergunta imediata da minha mãe todas as vezes em que nos falávamos era: "Você já conheceu alguém?". Eu me perguntei, brevemente, como ela reagiria se eu lhe contasse o atual estado da minha vida amorosa da próxima vez em que ela perguntasse. Talvez ela surtasse. Talvez ela me perguntasse quando é que nós planejávamos nos casar... era difícil prever a reação da minha mãe às vezes.

Como podem as pessoas decidir com quem elas querem passar o resto de suas vidas com essa idade? Não consigo decidir nem mesmo o que eu quero comer no jantar! Não consigo nem mesmo decidir se quero ser atriz, mesmo eu já tendo 35.000 dólares em empréstimos de estudante me dizendo que é melhor eu ter certeza de que quero ser atriz.

Ao término da semana de audição, eu estava começando a sentir que o lance com o Garrick "não era lá grande coisa" como eu ficava dizendo que era. Eu ia para a aula no último minuto e geralmente era a primeira a sair da sala. Sendo fiel a sua palavra, ele se manteve profissional na sala de aula, o que só queria dizer que nós interagíamos o mínimo possível. Eu nunca o vi no Grind de novo, e íamos muito até lá.

Ele estava nas audições, mas também estavam todos os outros membros do corpo docente. E nem mesmo a presença dele poderia refrear a minha animação por essa apresentação. Como atriz, eu sempre fui atraída mais pelos papéis clássicos do que pelos contemporâneos (daí minha obsessão por Shakespeare), e finalmente faríamos uma peça grega (bem... uma tradução de uma peça grega, de qualquer modo). *Fedra* não teria sido minha primeira escolha, considerando que o tema da peça era totalmente amor proibido, que não era muito bem do que eu precisava nesse exato momento. Porém, no mínimo, eu tinha um ótimo entendimento da minha personagem quando eu fiz a audição. Certamente, Fedra desejava o seu enteado, e não o seu professor, mas os sentimentos eram os mesmos.

Fazia um bom tempo que eu não desejava tanto assim um papel.

Quando foi minha vez de entrar no teatro para as audições, eu me sentia bem, confiante. Sabia minhas falas. Conhecia minha personagem. Eu sabia o que era desejar algo que não se pode ter. E, mais do que tudo... eu sabia o que era querer e não querer alguma coisa ao mesmo tempo. Despejei tudo o que tinha de tesão, medo, dúvida e vergonha naquela apresentação de um minuto e meio. Eu me doei de um jeito como nunca fiz na vida real, porque aqui... aqui eu podia soltar e lidar com isso e fingir que não se tratava da minha pessoa... podia fingir que se tratava de Fedra. Eu era mais honesta sob o calor daquelas luzes do que eu alguma vez fora à luz do dia.

E, dentro de poucos minutos, estava acabado, e eu estava de volta ao camarim, me perguntando se seria o bastante.

Quando as audições terminaram, todos nós saímos para comemorar. Eles postariam listas de reconvocações pela manhã, e isso seria mais uma coisa completamente nova com o que se preocupar, mas, por ora, isso estava fora do nosso alcance.

Todos juntos (em grande maioria alunos do último e do penúltimo ano), nós assumimos os lugares em uma seção inteira do Stumble Inn. Mesmo que estivéssemos em mesas separadas, nós conversávamos pela sala uns com os outros, insolentes, sem ligar a mínima para quantas pessoas irritávamos.

Começamos a noite com doses de tequila, o que era um pouco demais, de um jeito esquisito, parecido com a minha noite aqui com o Garrick, mas encolhi os ombros e deixei isso pra lá. Eu estava ali com amigos. Ia me fazer bem relaxar e me divertir um pouco.

Eu estava sentada a uma mesa com Cade e Kelsey, é claro. Lindsay também estava lá, junto com Jeremy, um aluno bonitinho do segundo ano com quem eu, bêbada que estava, havia dado uns amassos no ano passado. Ele meio que vem acompanhando a gente bastante desde então, mas eu tinha certeza de que ele sabia que não ia rolar nada entre nós dois. Ultimamente ele andava deslumbrado pela nossa beldade residente e louca por sexo, Kelsey. Então tinha a Victoria, que poderia facilmente se passar pela fusão da Kelsey com a Lindsay. Victoria tinha os peitos da Kelsey (e a sua piranhice), mas tinha a atitude "eu odeio tudo e todo mundo" da Lindsay. E, terminando de compor a nossa mesa, estava o Rusty, que era praticamente o rei de todas as coisas aleatórias e hilárias.

Jeremy era o único novo demais para beber, mas o garçom nem mesmo se deu ao trabalho de pedir as identidades de todo mundo que estava à mesa. Ele olhou a identidade do Cade e depois só bateu os olhos nas outras. Nós pedimos drinques, comida e depois, mais alguns drinques.

Eu estava me sentindo muito bem na hora em que a conversa se voltou para o tópico das audições. Foi Rusty quem quebrou o gelo:

— Então... e quanto àquela peça do incesto?

Revirei os olhos.

— Não é incesto, Rusty. Eles não têm nenhuma ligação de sangue.

— Não vem ao caso. — Ele deu de ombros. — Tenho uma madrasta, e eu ia cagar nas calças se ela desse em cima de mim.

Kelsey riu.

— O que provavelmente tem mais a ver com o fato de você ser gay.

— Eu conheci sua madrasta. Ela pode dar em cima de mim a qualquer hora — disse Cade.

Se fôssemos tipos diferentes de pessoas, Rusty poderia ter ficado enfurecido, talvez teria dado um soco no braço do Cade... ou na cara dele. Em vez disso, eles se cumprimentaram dando um tapa com a mão espalmada na mão do outro.

— Mas, falando sério, como todo mundo foi nas audições? — quis saber Rusty. — Eu fui um lixo. Eu vou ter muita sorte se vier a pegar o papel do segundo soldado ou do empregado.

Kelsey se meteu na conversa:

— Eu mataria alguém para fazer o papel da Afrodite. Quero dizer, quem mais tem os peitos necessários para esse papel?

Victoria ergueu a mão.

— Hum, olá? Você é cega? — Ela fez um gesto apontando para os próprios peitos.

— Ah, vamos lá, você por acaso quer o papel da Afrodite?

— É lógico que não — disse Victoria. — Isso não quer dizer que os meus peitos não fiquem ressentidos por você tê-los ignorado.

Com os olhos arregalados, Jeremy disse:

— Eu nunca ignoraria os seus peitos.

Todo mundo riu. Jeremy geralmente ficava bem quieto quando todos nós saíamos juntos. Eu acho que poderia ser difícil acompanhar o nosso ritmo, considerando-se que passamos todos os momentos acordados uns com os outros durante os últimos quatro anos, e ele era o novato no grupo.

— E quanto a você, Bliss? — quis saber Lindsay. — Todos nós sabemos que você se borra só de pensar nisso.

Eu poderia ter ficado vermelha de vergonha, se as minhas bochechas já não estivessem vermelhas por causa do álcool.

— Eu acho que eu fui bem. É só que... eu realmente entendo Fedra, sabe?

Kelsey caiu na gargalhada e eu dei um chute nela por baixo da mesa. Cade sorriu para mim:

— O que houve? Você está a fim de algum membro da sua família que eu nunca cheguei a conhecer? — Empurrei o ombro dele, que deu risada, me envolvendo com o braço e me puxando para perto dele. — Estou brincando, gata.

— É só que eu... eu entendo como é querer alguma coisa, mas tentar se forçar a realmente acreditar que não se quer aquilo. Não precisa ter a ver com amor. É sobre querer alguma coisa que não se pode ter ou algo que a gente acha que não merece. Que inferno! Nós queremos papéis que os nossos amigos conseguem, mesmo que eles sejam nossos amigos e que nós deveríamos estar felizes por eles. Nós nos sentamos em meio ao público e pensamos em como teríamos desempenhado um papel. Queremos aquilo que não podemos ter. É a natureza humana.

Eu posso ter me empolgado um pouco. A mesa estava em silêncio quando terminei de falar. Até que Rusty disse:

— Claramente você não bebeu o bastante!

Então nós bebemos mais e nossa comida chegou, parecendo gordurosa e gloriosa.

— Pessoal, vocês já perceberam que nós ainda não falamos sobre um tópico importante. — Victoria ergueu uma sobrancelha e continuou: — Professor "Eu-sou-o-sexo-em-forma-de-gente-e-posso-provavelmente-fazer-vocês-ficarem-grávidas-só-de-olhar-para-vocês".

A maior parte dos caras em volta da mesa (menos o Rusty) soltou suspiros, enquanto a maior parte das garotas (menos eu) *mais* o Rusty soltaram diversas variações de "Que inferno, é mesmo!".

Victoria se abanou.

— Falando sério, naquele primeiro dia, quando ele abriu a boca para falar, eu acho que só o sotaque dele quase me levou ao orgasmo.

Permaneci calada, e Kelsey fez o mesmo, me olhando de relance com ares de questionamento.

Eu poderia pedir licença e ir ao banheiro. Será que isso ia parecer bizarro?

— Kelsey, por que você não está me apoiando aqui? — quis saber Victoria. — Posso então aplicar o "vi primeiro, é meu" assim que nos formarmos?

Eu tentei manter a expressão passiva no meu rosto.

Kelsey abriu um sorriso:

— Ah, sim, ele é bonitinho. Mas ele é um pouco certinho demais para mim. Eu gosto de caras um pouquinho mais perigosos.

Ela piscou para o Jeremy, e eu tenho certeza de que o maxilar dele teria se soltado de seu rosto se ele o abrisse um pouco mais.

— O quê? A moto dele não é perigosa o bastante para você? — perguntou-lhe Cade.

— Ele tem uma moto? Eu não sabia disso!

Ela me desferiu um olhar acusador, como se eu a estivesse traindo por não lhe passar essa informação.

— O que aconteceu com ele e o Dom? — Lindsay me perguntou. — O Dom ainda fica ladrando sobre como ele o tratou com rudeza durante a audição de vocês dois.

Cade deslizou uma das mãos de trás da mesinha e colocou-a em volta dos meus ombros, e me deu um rápido e leve aperto.

— O Dom é simplesmente um babaca. O Sr. Taylor só o tirou na marra de cima de mim, só isso.

Rusty sorriu e apontou para mim e para o Cade:

— Vocês dois são tão bonitinhos. "Ah, Sr. Taylor isso, e Sr. Taylor aquilo." Acho que vocês são os únicos que ainda o estão tratando como um professor em vez de um pedaço de carne.

Revirei os olhos. Eu nunca o chamava de Sr. Taylor na frente dele, mas me pareceu estranho chamá-lo de Garrick enquanto estava falando dele com outras pessoas. Eu sentia como se eles fossem capazes de ler todos os meus segredos no meu rosto, e saberiam exatamente o quanto não professor eu o considerava.

Talvez eu realmente precisasse daquele intervalo para ir ao banheiro no fim das contas. Cutuquei o Cade, e ele deslizou para fora da mesa, e me deixou passar. A cada passo que eu dava distanciando-me daquela mesa, a minha ansiedade era aliviada. Eu ficaria longe dali por alguns minutos, depois voltaria e eles estariam falando de algo completamente diferente e tudo ficaria bem.

Eu estava caminhando, ao passar pelo bar ouvi o meu nome.

— Bliss! — Eu me virei, mas não vi ninguém. — Bliss!

A voz estava mais perto, e dessa vez, quando olhei para trás do bar, eu o vi... o barman. Sorri, e tentei parecer feliz em vê-lo. Porém, honestamente... eu não conseguia nem mesmo me lembrar do nome dele. Tantas eram as outras coisas que tinham tomado o meu foco naquela noite. Como sempre quando eu penso no Garrick, senti um frio na barriga, e tive que me concentrar em não me perder naquelas recordações.

Quando estávamos frente a frente no bar, o barman disse:

— Ei, eu espero que não soe sinistro que eu me lembre do seu nome.

Soava sinistro. Um pouco.

— Eu prometo não achar sinistro, se você me perdoar por não me lembrar do seu.

Os lábios dele se curvaram para baixo em um breve franzir de lábios antes de ele abrir um sorriso e dizer:

— Brandon.

— Certo, Brandon. É claro. Sinto muito. Foi uma longa semana.

— Bem, deixe-me torná-la um pouco melhor.

Ele pegou um copo e o encheu para mim com uma dose de tequila.

— Por conta da casa.

Eu me sentia estranha bebendo a dose sozinha, mas não poderia recusá-la de jeito nenhum. Então agradeci a ele pela dose, encolhi os ombros e virei-a em um só gole. Ri, não porque isso fosse engraçado, mas simplesmente porque me parecia que era a coisa a ser feita.

— Escuta... — começou a dizer Brandon. — Eu não tenho a intenção de pegar pesado demais, mas você gostaria de sairmos um dia desses?

Eu queria sair com ele? Mais importante ainda, eu queria dormir com ele? Apesar de toda a loucura com o Garrick, eu ainda era virgem. E ainda gostaria que não fosse. Aqui estava mais uma oportunidade para consertar isso... oportunidade essa que não envolvia quebrar as regras da faculdade e me arriscar a ser expulsa. Olhei para ele. Kelsey tinha razão: ele era bonitinho. E, definitivamente, ele estava interessado.

Tentei imaginar como poderia ser dormir com ele. Tentei imaginar nós dois tirando nossas roupas, as mãos dele na minha pele, os lábios dele nos meus. Eu tentei, mas todas as imagens que pude evocar foram as de Garrick fazendo essas coisas, e não Brandon.

Droga, por que eu não podia simplesmente estalar os dedos e não ser mais virgem? Por que é que sexo tinha de estar envolvido? E por que é que tudo em que eu conseguia pensar era no Garrick, mas eu havia mesmo voltado atrás na ideia de fazer sexo com ele?

Por que o meu cérebro se recusava por completo a fazer algum sentido?

Brandon respondeu ele mesmo a pergunta que me fez:

— Estou achando que a resposta é provavelmente um "não". Geralmente é, se alguém demora tanto assim para responder.

Eu sorri... um sorriso com os lábios fechados.

— Eu sinto muito. Você me parece ser bem legal, mas é só que eu não estou interessada... não agora.

Droga, eu sempre fazia isso. Eu sou péssima com confrontos, então sempre acrescento às minhas falas frases como "não agora".

Brandon assentiu:

— Tudo bem. Não se preocupe com isso. Mas, hum, é melhor eu voltar ao trabalho.

Ele não esperou que eu respondesse antes de descer a passos largos pela extensão do bar para ajudar um cliente na extremidade oposta. Soltando um suspiro, caminhei até o banheiro, onde borrifei um pouco de água no rosto.

O que de nada ajudou com o caos que estava no meu cérebro, mas eu podia sentir o álcool formigando no meu estômago, e pelo menos isso fez com que eu me sentisse ok com o caos.

Voltei à mesa, onde outras duas doses esperavam por mim, cortesia de Cade, e, ainda bem, a conversa havia passado para o tópico de alguma outra fofoca que não envolvia o Garrick. Na hora em que bebemos a próxima rodada, a minha pele parecia uma coberta cálida e a minha garganta doía de tanto dar risada de coisas que poderiam ou não ter sido engraçadas. Nós estávamos tão altos da bebida que nossas conversas haviam se degenerado a ponto de não passar de fragmentos, piadas internas e risadas.

— Estou *tão* bêbado — começou a dizer Rusty —, que eu só quero ficar no meu carro tocando o meu acordeão até ficar sóbrio.

A minha risada foi embaraçosamente alta.

— Você tem um acordeão?

— Que droga, eu tenho sim. Quer me ouvir tocá-lo?

— É claro!

Deixei minha carteira com o Cade, para que ele pudesse pagar minha parte. Dei um beijo ultrassentimental na bochecha dele como recompensa.

— Ah! Eu também! Eu também! — gritou Kelsey. Ela deu sua carteira a Cade também, com um tapinha na cabeça dele em vez de beijo, e Rusty colocou um braço em volta de cada uma de nós.

— Anotem aí, meninos! As meninas adoram um cara que sabe tocar um instrumento!

Lindsay soltou uma bufada:

— O seu instrumento nem mesmo gosta de garotas, Rusty!

— Isso não quer dizer que *elas* não gostem *dele!*

Eu tenho certeza de que o volume no bar abaixou pela metade quando saímos de lá, mas eu não saberia dizer a diferença. Na minha cabeça, ainda estava alto. Depois de alguns minutos, o restante do grupo juntou-se a nós do lado de fora, no capô do carro de Rusty, onde ele estava tocando o seu acordeão e cantando uma canção que ele dizia ser em francês (mas que eu tenho quase certeza de que era só blá-blá-blá sem sentido).

Isso realmente não importava para nós. Depois de alguns minutos, nós sabíamos o blá-blá-blá sem sentido o suficiente para cantarmos juntos. Nós ficamos fazendo serenata para os clientes regulares do bar enquanto eles serpenteavam até seus carros às duas da matina. Cantávamos tanto em inglês quanto na língua do blá-blá-blá. Nós cantávamos Britney Spears, Madonna e O Fantasma da Ópera. Cade fez um *rap* ridículo em que ele rimava cabo com nabo. E nós continuamos fazendo a serenata até que todos tinham ido embora, e o proprietário veio para nos mandar cair fora.

Todos nós estávamos bêbados demais para dirigir, exceto talvez pelo Jeremy, mas nenhum dos nossos carros era grande o bastante para que acomodasse todos.

Então, num impulso, eu disse:

— Vamos para o meu apartamento. Fica a menos de um quilômetro daqui e eu tenho quase certeza de que eu tenho vodca no meu freezer.

Então, com um grito de batalha de "Vodca!", nós fomos embora. Eu vim a lamentar por essa noite depois, porém, naquele instante, eu simplesmente não queria que ela acabasse.

CAPÍTULO 12

Em algum lugar entre o bar e o meu apartamento, eu tirei os sapatos. Eles eram de salto baixo, mas estavam matando meus pés mesmo assim. Então, simplesmente me curvei e puxei-os para fora dos meus pés.

— Eita, gata, o que você está fazendo?

Caí em cima do Cade, dando risadinhas. Eu achava que eu estava bêbada antes, mas agora havia se passado um tempinho... Eu estava realmente baqueada! Possivelmente mais bêbada do que qualquer outra vez na minha vida.

— Sapatos são uma idiotice. Por que as pessoas os usam?

Ele deu risada:

— Para não pisarem em um prego e pegarem tétano, eis o porquê.

— Para... pisarem... prego... pegarem... porquê. Quanto pê!

Ele riu, então eu ri, mesmo que eu não fizesse a mínima ideia do que era engraçado.

— Você é adorável. Venha aqui. Vou carregar você nas costas para salvar os seus pés.

— Oba!

Ele agachou-se, e eu pulei para cima das costas dele. Com meus sapatos nas mãos dele, nós descemos cambaleando a rua. Quando entramos no estacionamento do meu prédio, eu estava cantando uma canção improvisada que dizia algo como "Cade é o meu herói. Ele foi de zero a herói.

— O que você quer dizer com zero? Eu nunca fui um zero!

— Cade é meu melhor amigo! Um dia ele vai ao parque comigo. O carro dele fede a queijo! Eu só quero lhe dar um beijo!

Rusty gritou:

— Dá um beijo nele em particular!

— E o Rusty é um babacão! E o vento nos meus cabelos parece um tufão! — Cade riu. — Gostou das minhas rimas?

— Que rimas?

— Deixa pra lá.

Ele riu. Eu vi meu apartamento entrando no meu campo de visão.

— Ah, droga! Esqueci a minha bolsa.

— Está comigo, gata.

— Está? Você é o melhor!

Eu dei um beijo barulhento nele, daqueles que estalam. Eu estava visando dar o beijo na bochecha dele, mas acho que o beijo acabou sendo dado em algum lugar no pescoço dele. Mais ou menos nesse momento, eu ouvi o Jeremy gritar:

— Ei! Sr. T.! E aí?

— Temos um lutador de luta-livre aqui? — eu perguntei.

— Nem, é o Sr. Taylor.

Soltei um guinchado, me soltei do ombro do Cade e me inclinei para trás para ver onde ele estava. Ao fazer isso, tirei o equilíbrio do Cade e nós dois caímos no chão, com ele caindo em cima de mim.

Eu soltei um gemido.

— Meeerda! O Cade é muito pesado. Ele pesa bem mais do que eu imaginava! — falei meio gemendo, meio cantando.

Eu me sentia à deriva, meu mundo sendo embalado como se eu estivesse em alto mar.

Cade disse:

— Ei, Sr. Taylor.

— Olá, Cade. Você está bem?

— Com certeza que sim.

Ele se forçou a ficar de joelhos, e então se levantou. Quando tentou me pegar também, dei uma boa olhada em Garrick, que estava com o olhar voltado para baixo, me encarando. O cabelo dele estava sexy e o seu largo sorriso era tão lindo!

Não era justo que a aparência dele fosse tão boa.

Gemi e cobri os olhos.

— Por que o mundo me odeia?

Os dois deram risada, mas isso não era engraçado. SÉRIO. Por que o mundo me *odeia?*

— Vamos, gata. — Cade tentou me puxar para cima, mas meu corpo parecia um peso morto.

— Eu não acho que consigo ficar em pé — falei a ele. — Estou me sentindo como *noodles* molhados.

— Ah, é? — Cade desviou a sua expressão divertida de mim, e meus olhos se fecharam. — O senhor se importa, Sr. Taylor?

Em seguida, eu sabia que eu estava no ar e eu estava voando. Eu me inclinei para a esquerda e lá estava a lateral do rosto do Garrick. Era uma tremenda de uma bela lateral de rosto. Meu braço estava em volta do ombro dele e, juntos, ele e Cade estavam me carregando. Garrick me segurou completamente sozinho enquanto Cade se agachou e procurava pelas minhas chaves na minha bolsa.

Deitei a cabeça no peito do Garrick.

— Seu cheiro é tão bom. Por que seu cheiro é sempre tão bom?

Cade deu risada:

— Ooopa, e esse é o nosso sinal para deixar o professor ir embora.

Eu me soltei do Garrick, e Cade me envolveu pela cintura com o braço.

— Sinto muito, Sr. Taylor.

— Não é nada demais.

— Escuta, ela ficaria horrorizada se soubesse que você a viu desse jeito. Eu juro que normalmente ela não fica assim. Ela só tem andado mesmo estressada nos últimos tempos por algum motivo.

— Tudo bem, Cade. Está tudo bem, eu juro. Boa noite, Bliss.

Recuperei a energia e segurei na manga da camisa dele.

— Não, fica.

Rusty apareceu então, com seu acordeão ainda nas mãos.

— É, Garrick, fica. Baby Bliss tem vodca.

Garrick abriu um sorriso forçado para mim.

— Eu acho que a Baby Bliss exagerou. E obrigado pela oferta, mas ainda há alguns limites que eu não deveria ultrapassar.

Os olhos dele se encontraram com os meus e eu soube que ele não estava apenas falando da festa. Isso me deixou um pouco mais sóbria, não muito, mas o suficiente para saber que eu estava bancando a tola.

— Vocês se cuidem. Divirtam-se.

Então ele se afastou e saiu, e Cade me ajudou a entrar e me colocou no meu sofá. O pessoal foi assaltar a minha geladeira e Kelsey sentou-se perto de mim, no sofá, e deitou no meu colo.

— Então, o seu amante estava bem bonito essa noite.

— *Kelsey!* Cala a boca!

— O que foi? Ninguém me ouviu.

Eu olhei ao nosso redor. Ela estava certa. Os caras estavam roubando batatas *chips* da minha cozinha, enquanto Lindsay e Victoria colocavam vodca em copos de suco de laranja. Quando eu tive certeza de que ninguém prestava atenção em mim, voltei a olhar para a Kelsey.

— Ele está sempre bonito. Eu não sei por quanto mais tempo eu consigo lidar com isso. Um dia eu vou entrar em combustão sexual espontânea e pular para cima dele bem no meio da aula.

Ela riu.

— Por mais interessante que isso fosse... você sabe que essa é uma ideia *terrível*. Além disso... você já o teve. Ao que parece, ele foi bom o bastante para que você o queira de novo, mas não é como se ele fosse um mistério que você está morrendo para desvendar. Você só precisa de uma distração.

Assenti sem entusiasmo, mesmo embora eu tivesse quase certeza de que nada conseguiria me distrair de querer o Garrick. E o que Kelsey não sabia é que ele ainda *era* um mistério para mim. E, ah, meu Deus!... Como eu queria bancar a Nancy Drew[3]!

Os olhos de Kelsey brilhavam e ela se ergueu e saiu do meu colo.

— Vocês querem saber que jogo eu nunca joguei? — ela perguntou à sala toda. — O jogo de girar a garrafa!

Victoria parecia cética.

— Você nunca jogou o Jogo da Garrafa? Sério?

Kelsey deu de ombros, e depois se virou para me espiar por cima de seu ombro, e deu uma piscadela.

— O que eu posso dizer? — ela prosseguiu. — Eu demorei para florescer. Quando esses daqui surgiram — ela fez um gesto, apontando para os seus seios gigantescos —, as pessoas já haviam parado de precisar de um jogo como desculpa para dar uns amassos.

Cade ergueu uma sobrancelha para ela.

[3] Nancy Drew é a detetive na série de livros de mistério criada por Edward Stratemeyer, no ano de 1930, nos Estados Unidos, onde é considerada um ícone cultural e influência formadora de diversas mulheres, sendo até mesmo considerada uma heroína mítica por alguns. (N. T.)

— E nós precisamos de uma desculpa agora?

Ela deu um pulo para fora do sofá, e sentou-se que nem uma índia no chão, apanhando uma garrafa de água pela metade de cima da mesinha de centro.

— É claro que não, mas é o *jogo* que é excitante!

Ela segurou no meu braço e deu um puxão. Eu caí com tudo no chão, rindo histericamente.

— Viram? — disse Kelsey. — A Bliss já está se divertindo. Vic, traga a vodca! Vamos tornar isso um pouco mais interessante. Esse é um Jogo da Garrafa de adultos. O que quer dizer que nada de dar selinho, não. Eu quero ver língua.

— Eu juro, Kelsey, que você é mais pervertida do que a maioria dos caras que eu conheço — disse Lindsay.

— Obrigada. Agora, eu não sou irracional. Vocês podem optar por dar um selinho... mas aí, como penalidade, terão que virar uma dose.

A maioria dos garotos pareceu aliviada. Rusty parecia desapontado.

— Temos mais garotas aqui do que rapazes — ressaltou Lindsay.

Victoria abriu um largo sorriso:

— Talvez nós devêssemos ir atrás do Garrick e fazer com que ele se junte a nós.

Fiquei branca como uma folha de papel:

— Não! De jeito nenhum!

— Meu Deus, Bliss, você é tão puritana.

Kelsey sorriu para mim, com ares de quem sabia o que estava fazendo. E eu definitivamente precisava daquela distração. Estiquei a mão e fiz a garrafa girar. Ela parou no Rusty, e eu nem dei a ele a chance de optar por fugir do beijo. Eu me inclinei para a frente até o outro lado do círculo, e puxei-o na minha direção. Eu estava bêbada o bastante a ponto de o beijo sair meio desajeitado, mas todos nós estávamos bêbados, então, o que importaria? Eu o beijei por vários segundos mais antes de empurrá-lo de volta ao seu lugar e eu deslizar para trás, voltando ao meu lugar.

Rusty assoviou:

— Droga, garota! Se eu não fosse 110% gay, eu chamaria você para sair agora mesmo!

Joguei a cabeça para trás e dei risada. Era boa a sensação de me soltar.

Rusty foi o próximo, e o pobre do Jeremy foi a próxima vítima. Ele apanhou a garrafa de vodca e disse:

— Não se ofenda, Rusty, mas você só não faz o meu tipo.

Ele sorriu, tomou um grande gole da bebida e então plantou um selinho rapidíssimo nos lábios de Rusty.

Nós fizemos um "oooooh!", como se fôssemos colegiais.

Ouvimos alguém bater à porta e Kelsey levantou-se num pulo e desceu o corredor aos pulinhos. Ela voltou com mais dez pessoas do nosso departamento.

— Você não se importa, não é? — ela me perguntou. Era bem a cara da Kelsey convidar as pessoas primeiro e obter a permissão depois.

Balancei a cabeça em negativa de qualquer forma, bem além do ponto de me importar.

— Excelente, sentem-se, senhoras e senhores. É hora de um pouco de devassidão.

E não havia realmente nenhum outro termo para isso. Em uma questão de minutos, eu tinha visto tantos amigos dando uns amassos nos amigos, independente do fato de se gostarem ou de levarem um ao outro à loucura ou de pensarem uns nos outros como irmãos. Por uma noite, nós colocamos tudo de lado e deixamos que uma garrafinha de água determinasse as nossas vidas.

Na vez seguinte, a garrafa parou em mim, e quem a tinha girado era uma garota. Todos os caras nos vaiaram quando optamos pela dose de bebida como penalidade. Mas eles gritaram animados mesmo assim com nosso selinho. Rindo, eu girei a garrafa mais uma vez, e ela parou no Cade.

Cade estava com aquele olhar de garoto fofinho da casa ao lado, bem com aquele largo sorriso de menininho que ele tinha fixo em mim agora. Encolhi os ombros e fui rastejando até ele. Ajoelhando-me diante dele, coloquei as mãos em seus ombros e me inclinei para a frente.

O beijo foi simplesmente como qualquer outro beijo... a princípio... e então, de repente, não era mais. A mão do Cade estava na minha cabeça e sua outra mão me puxava na cintura. Seus lábios se moviam junto aos meus, febris, desesperados, como se o mundo estivesse prestes a acabar e essa fosse a última chance dele de ser feliz.

O beijo era apenas intenso o bastante para fazer com que o ardor se desenrolasse na minha barriga, mas gentil o suficiente para que eu me sentisse como se estivesse sendo idolatrada. Por um instante, eu me esqueci de onde estava e com quem estava e simplesmente me banhei no calor, no prazer.

Então alguém assoviou, e, pedacinho por pedacinho, o mundo voltou a mim. Eu abri os olhos e fiquei encarando meu amigo, que havia me beijado como se ele quisesse ser tudo, menos... meu amigo.

Voltei ao meu lado do círculo, ignorando os comentários dos meus amigos sobre o beijo. Zonza e bem pra lá de confusa, eu me retraí, ficando na minha pelos próximos poucos turnos.

Eu podia sentir os olhos em mim. Os de Cade, com certeza, e provavelmente os de Kelsey também. Porém, minha mente estava concentrada em se controlar, porque eu estava a uma rachadura de me desintegrar.

Nós estávamos bêbados. O beijo provavelmente não queria dizer nada. E eu estava tão deprimida por causa do Garrick, que estava desesperada por contato com qualquer um. Era isso.

Isso não queria dizer nada. Nós ainda éramos amigos. Cade e eu sempre seremos amigos. Permaneci ali por mais alguns minutos, até que a minha cabeça estivesse zonza demais para que eu ignorasse isso. Eu estava sentindo um pouco de náusea. Eu me levantei e pedi licença, dizendo para todos que ficassem ali o quanto quisessem. Eu disse a eles onde eles poderiam encontrar cobertas e travesseiros extras, caso eles quisessem ficar e dormir no meu apartamento, e então me retirei para meu quarto, e larguei o sorriso forçado.

Eu disse a mim mesma que as coisas estariam melhores pela manhã.

CAPÍTULO 13

Quando a manhã chegou, Kelsey estava desmaiada ao meu lado na cama, e havia cinco pessoas na minha sala de estar e uma na minha banheira. Eu sorri para aquilo durante meio segundo, antes de que minha ressaca me lembrasse não tão gentilmente do quanto eu odiava o mundo.

Escovei os dentes e borrifei água no meu rosto antes de voltar ao meu quarto. Ouvi a porta da frente do meu apartamento se abrir e se fechar sem muito ruído, e espiei, colocando a cabeça para fora da cortina para ver quem era.

Cade havia voltado com um café da manhã gordurento o suficiente para alimentar a todos nós. Inspirei fundo e entrei na sala.

— Você é um salvador de vidas! — sussurrei.

Ele ergueu o olhar, sorrindo, e me entregou um burrito imenso com bacon, ovos e queijo.

— Como você está se sentindo?

Franzi o cenho.

— Como se eu tivesse sido atropelada por um ônibus. Um ônibus realmente pesado, cheio de lutadores de sumô.

Subi no balcão em um pulo, e me arrependi disso por mais dez segundos, enquanto a minha cabeça girava. Ele sentou-se na banqueta de bar abaixo de mim.

O burrito estava perfeito. Uma tortilha espessa e fofinha, ovos quentes, um molho delicioso.

— Estou apaixonada por esse burrito. Eu me casaria com ele se não quisesse tanto comê-lo.

— A tragédia do amor verdadeiro — sussurrou Cade.

Eu meio que sorri e ele meio que sorriu, e, pela primeira vez em anos, eu me senti estranha com o Cade. Desviei o olhar e me concentrei nas pessoas amontoadas na minha sala de estar.

— Como foi tudo depois que eu fui pra cama?

— Mais do mesmo. Se ele já não estava, o Jeremy ficou definitivamente muito caidaço pela Kelsey. A Victoria deixou meio maço de bitucas de cigarro no chão lá fora. E Rusty vomitava de um jeito atroz lá no seu banheiro.

Torci o nariz.

— Não se preocupe. Está tudo limpinho. Eu sabia que você teria um ataque do coração se acordasse e se deparasse com tudo aquilo.

Engoli em seco e um peso se assentou no meu estômago.

— Você é bom demais para mim, Cade. — Ele apenas encolheu os ombros. Ele sempre tinha sido bom demais para mim. — Escuta... — comecei a falar. — ...sobre ontem à noite...

Ele coçou a nuca, e sua boca se repuxou em um sorriso não muito entusiasmado.

— É, eu acho que nós deveríamos falar sobre aquilo, não?

Ele colocou as mãos no balcão ao meu lado, como se precisasse se segurar para o que estava por vir. Pigarreei, mas isso não tornou a conversa mais fácil.

— Então... você...?

Ele apertou as mãos no balcão, até que os nós de seus dedos ficaram brancos. Então, de uma só vez, ele levantou-se e respondeu:

— É, eu gosto de você. Eu gosto de você... há algum tempo.

Ergui o olhar, mas a expressão dele parecia indecifrável.

— Por que você nunca me disse nada?

— Porque... eu tinha medo. Você é a minha melhor amiga. E você quase nunca namora... Eu simplesmente achei que você não ficaria interessada.

Eu estava interessada? Eu podia sentir lágrimas sem sentido pressionando os cantos dos meus olhos, e pisquei para me livrar delas. Cade era um cara ótimo. E eu adorava passar um tempo com ele. E o beijo definitivamente tinha sido bom. Fazia sentido gostar dele. Eu queria gostar dele, mas... Garrick era o *mas.* Será que eu conseguiria parar de pensar no Garrick? Conseguiria parar de querê-lo?

Ouvi Cade suspirar.

— Você não está interessada, está?

Meu Deus, os olhos dele tinham que ser tão expressivos? Eu podia ler neles cada desapontamento, todas as inseguranças. Eu o adorava; disso eu tinha certeza. E acho que um dia eu poderia me *apaixonar* por ele, mas eu tinha que me livrar dos meus sentimentos pelo Garrick primeiro. Se isso tivesse acontecido no semestre passado, será que ainda assim eu estaria dividida?

— Sendo honesta, Cade? Eu não sei. "Talvez" é uma resposta terrível? — Ele pensou nisso por um instante, e eu não conseguia aguentar o silêncio. — Não é que eu não goste de você. Para falar a verdade, eu acho você muito perfeito. É só que... você é o meu melhor amigo, e eu não tenho *certeza.* Eu preciso ter certeza.

— Eu também quero que você tenha certeza. — Ele inspirou fundo e sorriu, mas não era um sorriso tão brilhante quanto o que eu acostumava a ver nele. — Eu consigo viver com um "talvez".

* * *

Quando cheguei no teatro na manhã de segunda-feira, a lista do elenco e da reconvocação já havia sido postada.

As listas do elenco (e de reconvocação) são um monstro por si só. Não passam de um simples pedaço de papel na parede, mas esse papel fica cercado de pessoas que já sabem do seu destino e se torna algo parecido com andar até a forca. Olhares voltaram-se na minha direção. Eu me esforcei para medir as reações deles. Era com pena que estavam olhando para mim? Estavam apenas escondendo a sua animação? Com os dois pés separados, eu existia em um mundo diferente do deles, um mundo diferente do daquelas pessoas que já haviam lido aquele pedaço de papel. E quando eu me juntasse a eles, a pressão não pararia. Ao ver a lista, não se pode demonstrar emoções. Não se pode chorar por um papel que a gente não conseguiu, nem falar mal de quem conseguiu o papel. Não se pode gritar de animação e nem de raiva. A gente tinha que simplesmente ler a lista, e não expressar emoção nenhuma. O que poderia não parecer tão difícil assim, exceto que... somos atores. Expressar emoções é o que nós fazemos.

Cade me encontrou a pouco mais de um metro dali.

— Você já viu?

Ele balançou a cabeça em negativa.

— Não, eu estava esperando por você.

As coisas ainda estavam um pouco estranhas desde quando havíamos conversado no dia anterior. Ainda não tínhamos sacado bem o que aquele todo importante *talvez* significava para nós. Porém, naquele momento, isso não vinha ao caso. Éramos dois atores, prestes a encararmos a rejeição ou mais uma batalha. Estávamos cheios até o topo de ansiedade, até mesmo se tentássemos não demonstrar isso, e não havia mais lugar para as outras múltiplas emoções que rolavam entre nós naquele momento.

Ele pegou minha mão, e eu não me permiti me preocupar com o que aquilo poderia significar. Eu precisava do conforto. Precisava que ele me equilibrasse. E estava bem certa de que ele precisava do mesmo.

Nós demos os últimos poucos passos rapidamente em direção à lista, e a multidão que ali estava se ajustou para nos deixar passar.

Hipólito era o primeiro da lista; ele era o enteado.

Havia sete nomes de garotos chamados para novas audições, e Cade e Jeremy estavam entre eles.

Ergui o olhar para ele, que estava completamente estoico. Nada transparecia em seu rosto. Nem animação, nem nervosismo. Sete garotos convocados novamente queria dizer que o diretor não estava certo de quem ele queria para o papel. Significava que ele não tinha visto ainda o que queria. Significava que o papel poderia ir para qualquer um, quem quer que elevasse o nível durante as reconvocações.

Dei um apertãozinho na mão do Cade, que imediatamente apertou a minha em resposta.

Eu sei que as pessoas falam de seus corações disparados o tempo todo, e que isso nem mesmo parece ser lá grande coisa. Mas, quando voltei a olhar para a lista, o meu coração estava disparado como se minha vida inteira estivesse naquela última linha. Os sons soavam indistintos aos meus ouvidos, e minha visão havia se estreitado, e eu me sentia como se estivesse prestes a fazer algo aterrorizante e glorioso que poderia significar voar ou cair — sucesso ou desastre.

Meus olhos se depararam com o nome FEDRA, assim, em negrito, embaixo da lista.

E então eu vi meu nome, nada além do meu nome, como se fosse a luz no fim do túnel. Era melhor do que cruzar qualquer linha de chegada. Era como dar aquela respirada pela primeira vez quando eu tinha certeza de que estava me afogando, quando estava certa de estar morrendo. Contive o alívio e a alegria, porque as pessoas estavam observando, e porque essa era apenas uma lista de reconvocação. Isso só queria dizer que eles não haviam me eliminado ainda.

A outra mão de Cade juntou-se às nossas outras mãos já entrelaçadas, cobrindo a minha por completo. Meus olhos continuavam a analisar a parte de baixo da lista.

TESEU.

Isso não poderia estar certo. Teseu era um personagem. Os meus olhos subiram novamente, procurando pelo que eu havia deixado de notar. Havia sete nomes embaixo de Hipólito. E lá, debaixo de Fedra, havia apenas o meu.

Eles não estavam chamando ninguém de volta.

Apenas eu.

Eu tinha conseguido o papel.

E então, quebrando todas as regras da lista, eu dei um grito. Cade riu, me pegou pela cintura e me ergueu, me girando no ar. As pessoas ao nosso redor batiam palmas, e eu sabia que alguns tinham ouvido rumores do nosso beijo, com base na forma como eles olhavam para nós. Porém, por um instante, por um momento delicioso, nada disso importava.

Eu tinha conseguido o papel.

CAPÍTULO 14

Fui para a aula de Preparatório Sênior atordoada.

Eles sempre chamavam as pessoas de volta. Ainda que tivessem muita certeza de que sabiam quem eles queriam, era uma chance de ter certeza, de ver o melhor mais uma vez. Mas eles me selecionaram de imediato, o que queria dizer que eles já tinham certeza.

Alguma coisa inchou-se no meu peito, e antes que eu pudesse evitar, lágrimas se acumulavam nos meus olhos. Fiquei um segundo atrás das cortinas antes de entrar no espaço da sala de aula.

Tentei respirar fundo várias vezes, mas isso não soltou nada da emoção contida no meu peito. Então, fiz a próxima coisa lógica.

Eu dancei.

Dancei sem música. Gritei sem som. Celebrei em silêncio, no escuro, atrás das cortinas, onde ninguém podia ver.

Exceto que, com a sorte que eu tenho, alguém tinha visto, ah, se tinha!

— Acho que você viu a lista.

Fiquei paralisada, mas meu traseiro ainda se inclinou para a esquerda da minha última mexida de quadris para celebrar o papel que eu tinha conseguido.

Lentamente, endireitei a minha postura, me virei e disse:

— Oi, Garrick.

Ele estava com os lábios franzidos e os olhos arregalados e eu sabia que ele se esforçava muito para não dar risada.

— Olá, Bliss. Parabéns.

Meus cabelos estavam bagunçados, devido à dança que mencionei acima, então enfiei os cabelos atrás das orelhas, da melhor maneira que pude fazer.

— Obrigada. Eu estou, hum, muito animada.

— E deveria mesmo. Sua audição... — Ele deu um passo aproximando-se de mim, e, como sempre, a presença dele removeu o embaraço e qualquer outra emoção, e substituiu-os pelo calor, pelo desejo. — A sua audição foi fantástica. Não havia ninguém à sua altura.

Engoli em seco, mas o nó na minha garganta continuou lá. O meu "obrigada" saiu como um sussurro.

— Mas na noite de sexta-feira...

— Ah, meu Deus...

— Por mais fofa que você estivesse, por favor, não fique tão bêbada daquele jeito de novo. Eric precisará que você esteja no seu melhor para esse papel.

— É claro — assenti, petrificada. — Realmente, eu juro.

— E... eu também fiquei preocupado com você.

— Ah.

Ele passou os olhos pelo meu rosto, movendo-os rapidamente pelos meus cabelos que, sem dúvida, conferiam a mim uma aparência de louca e depois para meus lábios, e depois, rapidamente, baixou para minha perna, onde a queimadura tinha sido curada e deixado uma cicatriz cor-de-rosa.

— Eu não gosto de ficar preocupado com você.

Parecia que meu coração fugiria da minha caixa torácica se eu não fizesse alguma coisa logo. Esse era um território perigoso. Havia coisas que se elevavam dentro de mim, coisas que iam além da atração, além da obsessão pela aparência dele e pelo seu corpo e pelo seu sotaque... coisas perigosas. Os dedos dele tocaram um cacho de cabelos próximos da minha bochecha, e a proximidade de sua pele fez com que eu sentisse como se estivesse à beira de explodir.

Sorri e tentei aliviar a situação.

— Provavelmente você deveria se preocupar consigo, pois, se você me chamar de "fofa" de novo, vai acabar ficando machucado, possivelmente mutilado para o resto da sua vida.

Ele deu um passo mais para perto de mim, e parecia que o mundo se encolhia ao nosso redor. Ele aproximou ainda mais sua mão, que estava nos meus cabelos, do meu rosto, e os nós de seus dedos roçaram a minha bochecha. Ele abaixou o tom de voz e disse:

— Já que eu não posso muito bem usar a palavra alternativa aqui para me referir a você, "fofa" vai ter que servir por ora.

A minha mente volveu, em flashback, à primeira vez em que ele disse que eu era "fofa". Eu estava com a calça presa, enrolada em volta dos meus joelhos. Depois ele havia falado que eu era muito sexy e me ajudou a tirar a calça.

Claramente eu precisava aprender a parar de dizer a primeira coisa que me vinha à cabeça. No entanto, eu não conseguia pensar nisso nesse instante, porque minha mente estava presa nas últimas duas palavras dele... *por ora, por ora, por ora.*

Ele pigarreou e deu um passo para trás, deixando cair o cacho de cabelos que tinha prendido entre os seus dedos.

— Por que você não se senta para assistir à aula?

Assenti, passando rapidinho por ele e pelas cortinas.

Havia um assento reservado para mim entre Kelsey e Cade, e os dois estavam com idênticos imensos sorrisos no rosto. Eu sorri, tirando o encontro com Garrick da minha cabeça para me esbaldar mais uma vez em minha alegria. Kelsey inclinou-se para a frente para me dar um abraço quando me sentei, e sussurrou ao meu ouvido:

— Eu acho que sentir tesão pelo professor realmente ajudou você a entrar no papel. Estou tão orgulhosa de você, querida.

Olhei feio para ela, sem muito entusiasmo, mas assenti agradecendo. E depois me voltei para Cade.

Nós havíamos dado as mãos antes, e nos abraçamos quando eu fiquei sabendo que tinha conseguido o papel, mas eu não tinha certeza de qual era o protocolo agora. Viver no mundo do "talvez" era... complicado.

Antes, não havia esforço entre mim e Cade. Estar com ele era simplesmente tão desprovido de pressão quanto estar sozinha. E agora, de repente, havia essa intensidade em relação a tudo que fazíamos e tudo que dizíamos. Era como se minha vida tivesse sido marcada com itálico.

Quando nos tocávamos, eu notava. Quando *não nos* tocávamos, eu notava... E, de repente, eu não conseguia encontrar nenhum meio-termo. Nenhum talvez.

Então, fiquei paralisada.

Nós estamos ambos à espera, presos naquela área entre a ação e a recusa. Éramos inércia. Então Garrick pediu ordem à classe e a esquisitice foi adiada um pouco mais.

Eu sabia... eu sabia que em algum momento teríamos que superar isso... dar um jeito de coexistir novamente. Pode-se adiar algumas coisas apenas por determinado tempo antes de que o circo venha a pegar fogo. Porém, com certeza, eu poderia esperar *um pouco* mais. Hoje era um dia excitante, e não havia nenhum motivo para que eu fizesse chover no meu próprio desfile.

Quando a aula acabou, Eric esperava por mim do lado de fora da sala.

— Bom dia, Bliss. Eu posso falar com você por um instante?

Pisquei, pega desprevenida.

— É claro que sim.

Ele abriu a porta do teatro, e fez um gesto para que eu voltasse a entrar lá. Entrei, seguindo-o, passando pelas cortinas, e ele acenou em direção a um assento diretamente ao lado do Garrick. Eu me sentei com cuidado e olhei de relance entre eles, incerta quanto ao que estava acontecendo. Então a ficha caiu para mim.

Ele havia descoberto. Por que outro motivo ele ia querer falar comigo e com Garrick? Ah, meu Deus! O que ia acontecer comigo? Será que eles me chutariam do departamento? Da faculdade? No mínimo, eu provavelmente perderia minha bolsa de estudos. E então, como eu pagaria a faculdade?

Havia um clamor nos meus ouvidos, e o puxão da gravidade parecia tão pesado que eu sentia como se fosse afundar no chão. Provavelmente, o Garrick perderia o emprego. O que ele faria então? Voltaria à Filadélfia ou Londres ou a algum outro lugar e eu nunca mais o veria de novo?

Eu me voltei para ele, tentando transmitir o meu pesar com um olhar, mas ele estava... sorrindo?

— Bliss — disse Eric. — Eu tenho que admitir que eu estou surpreso.

O ar deixou os meus pulmões com tudo.

— Se-senhor, eu estou tão...

— Você certamente foi boa em seu tempo aqui, nos últimos anos, mas eu não fazia a mínima ideia de que você era capaz do desempenho que teve nas audições.

Eu ainda estava com os dentes cerrados e prendendo a respiração pela vergonha vindoura, então demorei um instante para perceber que, no fim das contas, ela não viria.

— Você sempre foi um pouco na sua, eu acho. Controlada. Cuidadosa. Mecânica poderia ser a melhor palavra para descrevê-la. No entanto, naquelas audições, você vivia o momento. Você sentia, em vez de pensar. Eu vi em você tons de emoção, força e vulnerabilidade, desejo e repulsa, esperança e vergonha... foi simplesmente cativante! Eu não sei o que você está fazendo ou o que fez, mas, por favor, continue assim. Você é muito melhor quando faz escolhas ousadas.

Espontaneamente, meus olhos se travaram nos do Garrick. Será que ele sabia? Teria ele adivinhado que era ele? Que essa *coisa* entre a gente havia feito com que eu sentisse coisas que nunca havia sentido e assumisse riscos que eu teria me negado a assumir não fazia muito tempo? Minha noite com ele era possivelmente a única coisa impulsiva que eu já havia feito na minha vida.

— Obrigada, senhor.

— De nada. Seja bem-vinda. Eu estou muitíssimo ansioso para trabalhar com você. Falando nisso, eu gostaria de que você viesse às sessões na quarta-feira com o pessoal cujos nomes estavam na lista. Nós gostaríamos que você lesse algumas cenas com Hipólito, de modo que possamos ter uma boa ideia da química e de como vocês ficam no palco.

— É claro, estarei aqui.

— Ótimo. Garrick estará lá para responder a qualquer pergunta sua também. Ele vai ser o diretor de cena dessa produção, então, se você precisar de alguma coisa, pode vir falar com qualquer um de nós dois.

Ele me deu um tapinha amigável de leve no ombro, e saiu. Então eu fiquei sozinha com Garrick. Meu coração ainda batia impacientemente, fosse por causa do medo de que houvéssemos sido descobertos ou apenas porque eu estava sentada ao lado do único cara que eu queria, mas que não podia ter.

— Eu não consigo lembrar se mencionei isso, mas estou realmente orgulhoso de você — disse Garrick.

— Obrigada. Eu acho que ainda estou em estado de choque.

Eu ainda estava chocada com *tudo* aquilo.

— Bem, acostume-se com isso. Pelo que eu vi, acho que você não terá que se preocupar com direção de cena, a menos que você queira. Você é uma atriz, Bliss, quer você acredite nisso ou não.

Assenti, arquivando esse pensamento.

— Você pensou mais sobre isso? Sobre o que vai querer fazer depois de se formar?

Fiquei cutucando os fios desgastados no joelho da minha calça jeans.

— Na verdade, não...

— Bem, se você quiser conversar sobre isso, você sabe que sempre pode vir falar comigo.

Ergui uma sobrancelha para ele, incapaz de colocar em palavras o quão absurda era aquela ideia.

Ele disse:

— Estou falando sério. Você age como se não fosse possível sermos amigos.

Se é que era possível, minha sobrancelha ficou ainda mais arqueada. Só de pensar em ser amiga dele.... era impossível imaginar isso. Eu não pensava em como meus amigos ficariam nus. Eu não me martelava em relação a dormir com amigos.

Ele deu risada baixinho e balançou a cabeça.

— Certo, certo... então, talvez sermos amigos seja um avanço de sinal, mas eu realmente espero que você venha até mim se precisar de alguma coisa... de qualquer coisa que seja.

O fluxo de desejo que eu sentia por ele era diferente de quaisquer dos outros impulsos que eu senti antes em relação a ele. O desejo de estar com ele ainda estava lá, mas agora eu queria mais do que isso. Eu queria me aninhar nos braços dele só para descansar a cabeça, só para sentir seu conforto.

Ó, céus, me ajudem! Mas eu queria que meu professor fosse meu namorado.

CAPÍTULO 15

Eric remexia em seus papéis, procurando alguma coisa, quando entrei no auditório na quarta-feira.

— Ah, Bliss, você está adiantada, como sempre. Isso é ótimo. Parece que eu esqueci de trazer as minhas anotações, então eu vou voltar lá em cima, no meu escritório, para pegá-las. Sente-se aí junto com Garrick e simplesmente relaxe por um instante.

Apesar do fato de eu já ter o meu papel, eu estava uma pilha de nervos nessas reconvocações. E se todo mundo esperasse que eu fosse perfeita? E se minha audição tivesse sido totalmente um acaso feliz? Fiquei olhando enquanto Eric saía pela porta dos bastidores e me perguntei... E se ele mudasse de ideia?

Eu me sentei na fileira abaixo de onde Garrick estava sentado, desejando que eu tivesse ido fazer uma hora lá nos camarins, com os atores que estavam esperando e se preparando para a segunda rodada de audições. Quando ele se inclinou na minha direção, eu disse:

— Ei... *amigo.*

Eu tinha desistido de tentar não soar esquisita, e estava simplesmente abraçando a ideia de que isso aconteceria.

Ele riu, o que eu acho que é uma coisa boa. Certamente poderia ter sido pior. Ele disse:

— Não muito convincente, mas nota 10 pelo esforço.

— Alguém aí distribui notas com facilidade.

— Alguém aqui tem um ponto fraco em se tratando de você. — Ele estava se inclinando para baixo, na minha direção, e mesmo com o seu rosto a uns bons trinta centímetros de mim, eu juro que senti aquelas palavras como se ele as tivesse sussurrado ao meu ouvido. — Desculpe-me — ele disse quase de imediato. — Às vezes eu simplesmente esqueço.

Eu disse:

— Eu também.

Mas era mentira. Eu nunca realmente esquecia. Eu queria esquecer. Gostaria de poder esquecer sobre as milhas que nos separavam, e simplesmente me permitir estar ali, apenas a menos de meio metro de distância, mas eu não podia. Ele pigarreou, e dessa vez eu não estava imaginando a proximidade dele, ele estava a poucos centímetros do meu ouvido.

— Eu tenho de lhe perguntar uma coisa.

— Ok — foi a minha resposta um pouco mais alta do que um sussurro.

— Cade.

Eu me virei, confusa, e imediatamente me reclinei de volta, porque tinha deixado nossos rostos próximos demais um do outro.

— Isso não é uma pergunta.

— Você ainda está com ele?

— *Com* ele?

— Eu só... eu não sei dizer. Vocês ainda se sentam juntos na aula, mas está diferente agora. Então eu achei que talvez vocês dois tivessem terminado.

Ele achou que eu e o Cade estávamos namorando? Droga, o quão alienada eu era? Aparentemente o mundo inteiro havia notado os sentimentos que meu melhor amigo tinha por mim. Havia um longo caminho para ser como a Nancy Drew! Nesse cenário, eu estava claramente mais para o Salsicha e o Scooby-Doo.

— Não havia nada a ser terminado — falei para ele.

— O quê?

— Sim. Eu e o Cade não estamos juntos. Nunca estivemos. — Os olhos do Garrick estavam arregalados e a sua cabeça inclinada de um jeito que dizia que ele não acreditava em mim. — Foi isso que você achou esse tempo todo? Que eu traí o Cade com você?

Ah, meu Deus! O cara por quem eu podia ou não estar me apaixonando achava que eu era uma piranha. As coisas poderiam *ficar* um pouco mais zoadas?

Ele balançava a cabeça para a frente e para trás, mas eu não sabia ao certo se aquilo era um "não" ou se era apenas ele tentando decifrar esse quebra-cabeça.

— Não sei o que eu pensei. Vocês sempre estavam juntos, e ele toca você, ele está *sempre* tocando você. Acredite em mim eu notei. Só presumi que isso era porque... bem, que foi por esse motivo que você saiu correndo naquela noite.

— Eu não saí correndo por causa do *Cade.* Eu tinha que ir buscar a minha gata...

— Bliss, eu não sou nenhum imbecil.

Meu Deus, pronto. De alguma forma, eu achava que tinha me safado com aquela desculpa horrível. Quero dizer, obviamente que isso não o havia detido como eu achei que fosse acontecer. Porém, ele sempre soube que se tratava de uma desculpa, apenas entendeu errado o motivo. E eu não podia deixar que ele soubesse do motivo verdadeiro, não agora, não aqui nesse teatro onde nós supostamente deveríamos ser profissionais (embora eu tenha bem certeza de que o profissional já tinha ido pro saco).

— Eu tenho um gato! Tenho sim! — Maldição... por que eu não conseguia me lembrar se o meu gato imaginário era macho ou fêmea? — Hum... ela é cinza e adorável e o nome dela é... — Eu disse a primeira coisa que me veio à cabeça: — Hamlet.

Eu era um gênio. Eu não era nem mesmo capaz de inventar uma gata, fêmea, com nome de menina! Era como se houvesse uma ponte no meu cérebro entre o racional e o absurdo, e de alguma forma eu a tivesse incendiado.

— Você tem uma gata chamada Hamlet?

— Tenho! — Pode me matar agora. — Definitivamente, eu tenho sim.

Pronto. Eu ia ter que arrumar uma gata.

— Certo. Então, se você não está namorando o Cade, o que está rolando entre vocês dois?

Eu podia sentir o calor entrando como um parasita na pele do meu pescoço.

— Nada.

— Você é uma terrível mentirosa.

Eu *era mesmo* uma terrível mentirosa. Provavelmente minhas orelhas deviam estar a ponto de parecer que eu havia passado uma hora em uma câmara de bronzeamento artificial.

— Não tem nada. Foi só uma coisa que aconteceu na sexta-feira quando eu estava... como vocês britânicos se referem a alguém bêbado?

Ele sentou-se para trás de novo, afastando-se de mim, mas deixou as mãos cerradas na parte de trás do meu assento.

— Você dormiu com ele?

— O quê? Não!

Ele não se inclinou de volta na minha direção, mas sua pegada na cadeira ficou mais solta. Um dos nós de seus dedos roçou meu braço.

— Que bom.

— Garrick...

Ele estava indo para aquele lugar aonde não deveríamos ir.

Ele abriu um sorriso atrevido.

— O que foi? Só porque eu não posso ter você agora, isso não quer dizer que eu vá ficar de boa se ele a tiver.

O meu cérebro tinha empacado naquela única palavra, *agora,* de novo, mas eu forcei meus pensamentos a se livrarem dela.

— Eu vou fingir que você não acabou de se referir a mim como uma propriedade que possa ter um dono.

— Nós não podemos ser donos um do outro?

Se cérebros pudessem ter orgasmos, eu tenho quase certeza de que essa seria a sensação. Eu não deveria ter gostado disso, mas havia possessibilidade nas palavras dele que ecoavam em seus olhos escuros, e isso fazia com que eu sentisse calafrios na espinha até meus dedos ficarem amortecidos com o seu vazio. Eu não podia responder à pergunta dele, então fiz minha própria pergunta.

— O que foi que deu em você? Eu achei que você tivesse me prometido que não faria isso de novo.

Ele passou as mãos por seus cabelos, e os seus cachos ficavam de um jeito tão adorável que faziam com que eu sentisse um frio na barriga.

— Eu não sei. É só que... eu estava ficando doido de pensar em vocês dois juntos.

— Nós nos beijamos. Nada além disso.

Ele se encolheu para trás como se eu tivesse dito que eu e Cade íamos nos casar e ter uma casa cheia de filhos. Eu não conseguia olhar para o rosto dele. Isso fazia com que eu quisesse fazer coisas insanas. Eu repeti:

— Foi só um beijo. Não significou nada.

— Eu não quero que nenhum outro alguém beije você.

— Garrick... — Eu estava começando a odiar o tom de aviso na minha própria voz. Se ele continuasse forçando as coisas assim, eu não seria capaz de dizer não por muito mais tempo. Eu ia me jogar em cima dele, muito provavelmente bem na hora em que o Eric estaria voltando.

— Eu sei que não estou sendo justo. Para falar a verdade, estou sendo um perfeito de um canalha. Eu vivo dizendo a mim mesmo para deixar você em paz, mas a verdade é que... eu não tenho certeza se consigo fazer isso. E agora que eu sei que você não está com o Cade...

— O que você está dizendo?

A porta dos bastidores rangeu e eu percebi o quão perto nós estávamos um do outro. O meu coração zunia como uma corda de violão puxada, e eu fiquei alguns assentos mais longe do Garrick segundos antes de Eric entrar novamente ali.

Ele erguia seu caderno, triunfante.

— Peguei! E eu trouxe um roteiro de verdade para você, Bliss, para você não ter que usar aqueles papéis.

Eu lutei para acalmar meu coração quando Eric me entregou a peça. Não olhe para Garrick. Não olhe para ele.

Não fazia diferença... eu estava hiperconsciente dele. Mesmo que me afastasse diversas fileiras de onde ele estava, eu tinha certeza de que saberia todas as vezes em que ele havia se mexido ou respirado ou olhado para mim.

Era boa a sensação do pequeno livro nas minhas mãos, ele ainda estava quente por Eric tê-lo segurado, e tive que resistir à premência de começar a cuspir as palavras naquele exato segundo para me distrair do Garrick. A diretora-assistente de cena, Alyssa, que era um ano mais nova que eu, entrou na sala para anunciar que estávamos prontos para começar assim que Eric estivesse.

Ele assentiu como sinal para prosseguimos, e depois se virou para mim.

— Bliss, nós vamos começar com o Hipólito. Vou fazer com que eles atuem em seus monólogos mais uma vez, e depois quero que você suba lá. Simplesmente se prenda ao que você estava fazendo em seu monólogo. Concentre-se no seu objetivo: você o quer, mas sua vergonha e seu medo são seus próprios obstáculos.

Olhei de relance para Garrick. Deveria ser simples o bastante.

Alyssa voltou a entrar, Jeremy caminhando com calma atrás dela. Ela assumiu um assento e ele se pôs no centro do palco, com os ombros para trás, o queixo erguido.

Ele estava bom. Eu sorri, orgulhosa por ele. Nosso pequeno aluno do último ano.

— Oi, Jeremy. Eu gostaria de começar vendo o seu monólogo mais uma vez, só para começar. Então vamos ver como você se sai com a Bliss.

Jeremy pigarreou e fez uma pausa por um instante.

Eu amava aquele momento que antecede... era o cúmulo da expectativa e da esperança. Era como mergulhar de um penhasco, sabendo que o que viria depois era aterrorizante e belo e o ponto da vida. Aquele momento... era viciante.

Eu me permiti continuar correndo longe demais.
Eu vi a minha razão ceder lugar à violência.

Havia desespero na atuação de Jeremy quando ele começou, mas ele soava jovem. Ele parecia jovem. Quando ele falava, as suas palavras e as suas emoções irrompiam com tudo. Como... assim que ele começasse sua confissão de amor por Arícia, não haveria como fazer parar o derramamento de palavras.

Minha alma, tão orgulhosa, por fim depende de alguém,
Por mais de seis meses, desesperado, envergonhado,
Aguentando a ferida que me foi infligida,
Eu me fortaleço em direção a você, em vão...

Eu não havia percebido até então que tanto Hipólito quanto Fedra estavam apaixonados e envergonhados: Fedra por causa de quem ela amava, e Hipólito pelo próprio fato de estar amando. Eu podia ver a vergonha na atuação de Jeremy, corroendo-o, e eu me perguntava se fora assim que eu parecera na minha audição... se aquela era a minha expressão toda vez em que eu pensava no Garrick.

Presente, eu fujo de ti: ausente, eu te encontro novamente.

Garrick olhava para Jeremy, voltando a olhar ocasionalmente de relance para as anotações que estava redigindo no caderno que tinha no colo. Essa última fala ecoava na minha cabeça como música, uma melodia que gruda na gente e não nos dá nenhum momento de descanso.

No presente, eu tinha fugido dele. Porém, não importava a distância entre nós dois, eu continuava voltando para ele. Tudo acabava voltando a *ele*.

Eric levantou-se de seu lugar e disse:

— Bom. Bom. Vamos vê-lo com a Bliss.

Arranquei meu olhar do Garrick, e fui pegar o roteiro. Fui andando em direção ao palco, com um pouco de fraqueza nos joelhos, e meus pés um tanto quanto amortecidos.

Por mais que eu adorasse Jeremy, ficou claro dentro de poucos minutos que ele não era Hipólito. Por exemplo, ele não era o jovem homem belo e heroico capaz de virar o coração de Fedra tão do avesso. Ele era mais um garoto. Ele tinha a paixão, no entanto, às vezes nem mesmo isso seria o bastante.

Nós passamos pelas atuações de mais dois garotos que também não tinham... ambos não tinham confiança. Aquelas audições foram rápidas.

Então foi a vez do Cade.

Eu sempre achei que a melhor qualidade do Cade era a sua voz. No palco, ela assumia esse retumbar baixo que, não importava o volume, continha poder. E, com uma peça que tinha muito em seu texto e no lirismo das falas, a voz dele era perfeita. Sempre era difícil ler a expressão no rosto do Eric, mas definitivamente ele parecia mais feliz com o Cade do que com as audições anteriores.

As coisas degringolaram no momento em que eu e Cade assumimos o palco juntos. Nós estávamos fazendo a cena em que Fedra revela pela primeira vez os seus sentimentos a Hipólito. Eles estavam falando da morte de Teseu, marido de Fedra e pai de Hipólito. Hipólito nunca tinha gostado de sua madrasta. Ele não sabia que ela o tratava mal para que pudesse mais facilmente manter distância dele, pois ela o amava até mesmo antes da suposta morte de Teseu.

Nós nos saímos bem na parte sobre a morte de Teseu, mas eu mal estava no meio do meu monólogo, quando declarava os meus sentimentos, quando Eric saiu do teatro e subiu no palco.

— Parem, parem! Cade, o que você está fazendo?

Cade parecia estupefato, e talvez por um triz de vomitar.

— Desculpe-me?

— Você a despreza. Quando cair a ficha da revelação dos sentimentos dela, você deveria ficar horrorizado, com repulsa, e até mesmo com raiva.

— É claro, senhor.

— Então por que você está parecendo um cachorrinho apaixonado, como se correspondesse aos sentimentos dela por você?

Como se eu já não estivesse canalizando culpa o bastante para essa atuação, senti o peso do acréscimo da minha própria culpa. Isso era minha culpa. Isso não tinha a ver com a peça. Era sobre mim. Cade havia mantido seus sentimentos escondidos por tanto tempo, mas eu havia notado, desde aquela festa, desde que eu o havia beijado, que tudo tinha estado bem mais à tona. Ele usava sua esperança como se fosse um casaco de inverno, uma camada que o cobria totalmente.

Não olhei para Cade enquanto ele e Eric conversavam, porque eu não sabia ao certo se conseguiria manter a piedade fora da minha expressão, e ele odiaria ver uma coisa dessas. Então, eu olhei para Garrick. Havia tensão em seu rosto. Mesmo com ele a uns cinco metros de mim, eu sentia como se o estivesse vendo bem de longe. Ele olhou para mim por um momento mais longo, antes de seu olhar pular para Cade, e ele franziu o cenho ainda mais. Depois de alguns segundos, seus olhos depararam-se novamente com os meus e ficamos nos entreolhando. Havia algo de diferente em seu olhar, alguma coisa havia mudado, algo que fazia com que meu coração batesse mais rápido e que me deixava arrepiada.

Eu e Cade terminamos a nossa cena sem incidentes. Aquela não foi a mais forte atuação que ele poderia ter apresentado, mas eu achava que ainda era a melhor até agora. Embora eu não estivesse sendo imparcial, eu acho. Eu deveria ter ficado feliz porque meu amigo tinha tido problemas até mesmo para atuar como se sentisse repulsa por mim. Porém, em uma imagem na minha mente, um pensamento estava plantado, e suas raízes ficavam cada vez mais arraigadas, apesar das minhas tentativas de arrancá-las.

Se ele soubesse o verdadeiro motivo pelo qual eu tinha dito *talvez*... se ele soubesse o que nos mantinha separados, provavelmente não teria nenhum problema para me desprezar.

Eu estava um pouco sem foco na próxima audição de reconvocação. Tanto que Eric decidiu que estava na hora de eu tirar um intervalo. Precisando do ar fresco, saí de fininho pela saída de emergência (cujo alarme nunca disparava), e eu soube, antes de ouvir a porta ranger e se abrir de novo atrás de mim, que Garrick também sairia.

— Você está se saindo bem — disse ele.

Soltei o ar rapidamente. Poderia ter sido uma risada, se eu tivesse mais energia.

— É, e por esse motivo você está aqui fora tentando fazer com que eu me sinta melhor.

— Os meus motivos para estar aqui fora são totalmente egoístas.

Continuei achando que eu me acostumaria com ele dizendo esse tipo de coisa, que me acostumaria com ele sendo direto, o que nunca chegou a acontecer.

— Você estava certo. Você *está mesmo* agindo como um perfeito canalha.

O pouco de ardor que havia nas minhas palavras sumiu quando ele abriu um largo sorriso. Ele trocou de lado e ficou fitando algum ponto distante no *campus*.

— Eu continuo achando que essa peça é um sinal. Ela é um tanto como nós dois.

— Sou eu a mãe cheia de tesão ou é você?

Os olhos dele voltaram-se a mim, imergindo-se e analisando as curvas e as linhas do meu corpo.

— Ah, definitivamente sou eu — respondeu ele. — Fedra vive dizendo que ela está sendo egoísta. Que se odeia por isso, mas que faz isso mesmo assim. Ela não consegue negar a si mesma o que quer, mesmo que isso traga a sua ruína e a dele.

— E você aprendeu alguma coisa com o nosso paralelo literário?

— Na verdade, não. Eu continuo achando que faria tudo de novo se houvesse uma chance... uma chance de que poderia dar certo. Até mesmo se 99% das vezes a história tiver um final ruim, vale a pena se ao menos uma vez tiver um final feliz.

— Escuta, Garrick, embora esse paralelo que você está traçando seja adorável, especialmente com esse sotaque, eu estou um pouco cansada das metáforas, e de ser comparada com histórias de amor condenados. Diga apenas o que você quer dizer. Eu venho decifrando texto antigo a noite toda. Eu não quero ter de decifrar você também.

— Estou dizendo que eu estava errado. — Ele deu um passo aproximando-se de mim, e a minha exaustão fugiu, sendo substituída por eletricidade sob a minha pele. — Estou dizendo que eu gosto de você. Estou dizendo que não ligo a mínima para o fato de que sou seu professor.

Então ele me beijou.

Eu o empurrei para trás antes que meu coração e minha mente fossem emocionalmente inundados. O prazer me atingiu depois que o beijo já tinha acabado, de modo que eu o sentia como um eco. E, mesmo sendo eu quem o havia empurrado, eu sentia falta dele.

— Garrick, isso é loucura.

— Eu gosto de loucura.

A pergunta era... eu gostava de loucura? Essa era a coisa mais insana que eu já tinha feito na minha vida e isso me aterrorizava e me excitava ao mesmo tempo. Recuei, precisando de distância para pensar, para colocar meu cérebro em ação em meio à insanidade. Havia tantas maneiras para isso terminar mal. Por outro lado, pela primeira vez, eu achava a minha vida mais interessante do que a história de um personagem em uma página. E, ah, meu Deus, como eu queria saber o final!

E o Eric não tinha dito que eu ficava melhor quando fazia escolhas audazes? Ele falava sobre atuar, mas será que isso não se aplicava à minha vida também?

Garrick roçou sua mão em minha testa e depois levou-a mais para trás, para dentro dos meus cabelos.

— Apenas pense nisso.

Ah, eu ia pensar nisso. Provavelmente isso seria tudo em que eu conseguiria pensar. Ele pressionou um beijo rapidíssimo na minha testa e me deixou ali, do lado de fora, com meus pensamentos em desordem e meu coração, uma zona.

CAPÍTULO 16

— Por que cargas d'água você ia querer um gato? — Kelsey me perguntou quando saímos da aula de Direção no dia seguinte.

— Eu simplesmente quero um gato, ok? Você quer vir comigo ou não?

Ela encolheu os ombros.

— Não posso. Desculpe-me. Eu tenho trabalho a fazer. Leve o Cade com você.

Como se tivesse sido invocado, Cade apareceu entre nós duas, e eu fiquei me perguntando por quanto tempo ele havia estado ali ouvindo a nossa conversa.

— Vai me levar aonde?

Eu disse:

— Eu vou a um abrigo de animais pegar um gato.

— Ah, legal! — disse ele, assentindo. — Eu gostaria de não estar morando no dormitório da faculdade. Eu adoraria ter um cachorro.

Eu estava ciente do espaço cuidadoso que ele mantinha entre nós dois, e do contínuo balançar de sua cabeça, para cima e para baixo, como se assentir tivesse lhe dado algo a fazer, e ele não quisesse abrir mão disso.

Kelsey puxou seus óculos de sol para baixo por sobre os olhos, mesmo que ainda estivéssemos dentro de um lugar fechado.

— Bem, por mais divertido que isso seja... eu tenho que ir, e rápido. Vocês dois, divirtam-se lá no abrigo. Bliss, não volte para casa como uma daquelas solteironas com seu gato.

Kelsey claramente não percebeu o olhar de pânico que desferi a ela. Eu e o Cade realmente não tínhamos ficado sozinhos desde toda a nossa conversa sobre o "talvez". Ele passou sua bolsa carteiro de um ombro para o outro, com os dedos inquietos, como ele sempre ficava quando estava nervoso.

— Se você quiser ir sozinha... tudo bem.

— Não, não. Você deveria vir comigo. — Nós tínhamos de superar isso. E eu só via duas maneiras para isso acontecer: ou nós ficávamos juntos, ou não. A espera ia matar nosso relacionamento (que já estava bem prejudicado). Se tínhamos que ter essa conversa, cercados de animais fofinhos provavelmente seria o melhor lugar.

— Ok. Legal — disse ele.

É... legal. Fiquei feliz por ter de dirigir. Isso me permitia ocupar meu corpo e minha mente. E o carro era meu, então eu podia ligar a música tão alto quanto eu quisesse. O que eu não contava era com que Cade se sentisse tão à vontade no meu carro a ponto de desligá-la.

— Então, o que fez com que você decidisse arrumar um gato?

Ah, sabe... eu quase tive uma noite de sexo casual com nosso professor, mas eu saí correndo, usando meu gato imaginário como desculpa, e agora, pode ser que ele queira que nós fiquemos *juntos* de verdade, embora seja a pior ideia do mundo, mas eu também meio que não me importo, porque meu corpo e provavelmente meu coração estão me dizendo que essa é a melhor ideia *do mundo!* Então, agora eu preciso de um gato para ele não perceber que eu estava mentindo em relação ao gato porque eu sou virgem e amarelei e acabei não fazendo sexo com ele.

— Eu só queria um gato — foi o que, na verdade, eu respondi.

— Ah. Legal.

Se ele dissesse "legal" mais uma vez, eu ia gritar. Parei o carro no estacionamento do abrigo de animais, desejando que eu tivesse dito ao Cade que queria fazer isso sozinha no fim das contas. Eu precisava de algo macio e adorável nas mãos, imediatamente. Nós entramos e nos deparamos com aquele cheiro forte de medicamentos veterinários. A moça na recepção parecia uma felina, como se trabalhar ali estivesse no seu DNA. Seu rosto era levemente pontudo, seus olhos, puxados, e seus cabelos eram curtos e pareciam pelugem.

— Olá! Em que posso ajudá-los?

— Oi — falei. — Estou interessada em adotar um gato.

Ela bateu palmas com mãos minúsculas que visualizei como se fossem patas.

— Isso é fantástico. Nós temos muitos candidatos ótimos. Deixe-me levá-la até lá atrás, na sala dos gatos, para que vocês dois possam dar uma olhadinha neles.

Nós a acompanhamos descendo o corredor, e aquele cheiro antisséptico foi ficando cada vez mais forte, sem dúvida encobrindo o odor de uma grande quantidade de animais abrigados em um único lugar.

— Aqui estamos.

A sala continha pilhas de gaiolas, e eu não sabia se o coro de miados havia começado quando entramos ou se era constante, mas nós estávamos cercados por esse som.

— Vou deixar vocês dois sozinhos. Tudo o que nós pedimos é que vocês tirem apenas um animal de cada vez da gaiola.

Com um largo sorriso como o do gato de Cheshire e um aceno, ela saiu dali.

Em silêncio, dei uma espiada dentro das gaiolas, sentindo-me perdida.

Eu gostava de gatos, mas não tinha certeza se realmente queria um. O que é que eu ia fazer com ele quando eu me formasse? Valia a pena fazer isso por um cara? Valia a pena pegar um gato para fazer sexo? Quero dizer, não era como se não houvesse nenhuma outra opção para que eu perdesse a virgindade.

Olhei para Cade, que estava com os dedos dentro de uma das gaiolas ali perto, fazendo carinho em um gato preto.

Se eu fosse ser honesta, isso não era exatamente só sobre fazer sexo, mesmo que tivesse começado assim. Por mais que eu quisesse Garrick, eu tenho quase certeza de que, se eu tentasse dormir com ele de novo, a tentativa haveria de se transformar em uma reprise da minha primeira e desastrada vez.

— Quer saber de uma coisa? — falei em voz alta. — Talvez eu não esteja preparada para ter um gato.

Eu me virei para sair dali, mas Cade se pôs no meu caminho.

— Eita! Como você é frouxa, hein!? Você nem mesmo segurou um dos gatos. Dê uma chance à ideia.

Ele abriu a gaiola com o gato preto e puxou-o para seus braços. Ele o trouxe na minha direção, esfregando o maxilar do animal. Eu estava olhando no olho da bola de pelos e podia ouvir o seu ronronar de onde eu estava.

Recuei um passo e tentei explicar sem realmente explicar:

— Não é que eu não goste de gatos. E, na verdade, eu acho que eu ia *gostar* de ter... um gato. Mas e se eu *tiver um gato* antes de estar preparada? E se eu escolher o gato errado? Ou se eu for péssima em... ser dona de um gato, sabe?

Meu Deus, como isso seria muito mais fácil se eu pudesse dizer o que eu realmente estava pensando!

Cade revirou os olhos, e empurrou o animal para meus braços.

— Bliss, você não tem como ser ruim nisso nem que tentasse.

Mas eu poderia ser ruim no sexo. Conhecendo meu cérebro hiperativo e neurótico... eu poderia ser tremendamente ruim no sexo.

O gato veio mais para cima e esfregou a cabeça no meu queixo. Ele era muito gracioso. Cade olhava radiante para mim, e eu pensei... *talvez Cade fosse a melhor escolha.* Será que eu ficaria tão aterrorizada com sexo se fosse fazê-lo com Cade?

Só de pensar nisso eu fiquei tremendo, insegura.

Passei o gato de volta para os braços dele, ainda não certa quanto a isso, mas me sentindo um pouco mais calma. Fui até a fileira de gaiolas e procurei pela gata cinza que poderia se passar pela Hamlet. Quando a encontrei, o Destino devia estar rindo de mim. Ela estava acocorada nos fundos de sua gaiola, com seus olhos verdes desconfiados. Puxei a porta da gaiola e a abri, e a gata respondeu com um rosnado gutural.

É claro... eu ia pegar a gata assustadora. Sobre o meu ombro, Cade disse:

— Você não está falando sério.

Ah, se eu não estava. Mas eu havia dito ao Garrick que Hamlet era cinza.

— Às vezes são as coisas assustadoras na vida que valem mais a pena — eu falei a ele.

Eu tenho quase certeza de que li isso em um biscoito da sorte uma vez, o que tornava isso sábio, certo?

Estiquei as mãos para dentro da gaiola, preparada para uma mordida, um arranhão ou um massacre completo, mas, quando minhas mãos circundaram o meio do corpo da fera, ela reagiu apenas com um baixo gemido.

Cade balançou a cabeça, confuso.

— Por que você ia querer esse daí? — Ele puxou o gato preto para perto de seu rosto. — Ele é tão doce!

Em contraste, a gata nos meus braços estava completamente alerta: as pernas estiradas, os olhos arregalados. Eu tinha a sensação de que, se tentasse trazê-la mais para perto de mim, ela me mutilaria. Coloquei-a no chão e ela caiu fora, indo se esconder debaixo do banco mais próximo.

Eu sabia que ele apenas perguntava sobre o gato, mas ouvi uma outra pergunta. Uma que ele não havia feito, não hoje, de qualquer forma. E Cade era doce, e o pensamento de estar com ele não me deixava imobilizada de medo. Pensar em estar com ele não me deixava com nenhuma emoção esmagadora, para falar a verdade.

Foi quando eu soube...

— Cade... eu preciso retirar o meu "talvez".

Juro que até mesmo os gatos pararam de miar. Eu podia imaginar o silêncio estupefato deles. Eu imaginava qual seria a versão em fala de gato para *Ah, não! Ela não fez isso!*

— Ah.

Eu gostaria que ele reagisse, que gritasse, argumentasse, qualquer coisa. Eu esperava que ele reagisse como aquela gata, que se travasse, com as garras para fora, os dentes à mostra. Em vez disso, ele afastou-se com calma, e colocou o gato preto com cuidado dentro de sua gaiola, provavelmente para não deixar mais de um gato fora das gaiolas, como a moça havia dito. Esse era o Cade, sempre pensando nas regras. Eu também sempre tinha sido assim, mas estava começando a pensar que assim não era como eu queria ser agora.

O movimento dele foi mecânico, simples, preciso. Ele puxou a porta da gaiola e fechou-a, e virou a tranca com um estalido agudo. Ele continuou de costas para mim enquanto falava.

— Eu posso perguntar por quê?

Soltei o ar. Eu devia pelo menos isso a ele, mas como poderia contar isso a ele? Ele não podia saber. Se eu fosse fazer isso com Garrick (e a quem eu queria enganar? Eu provavelmente faria), então ninguém podia saber. Nem mesmo meus melhores amigos.

— Eu... pode ser que haja um outro alguém.

— Pode ser...?

Isso era tão terrível quanto enfiar a mão dentro de um liquidificador ligado. Ele não olhava para mim e meu coração parecia fino como papel, como papel de seda, o que queria dizer que eu estava muito próxima de ser uma sem coração, fazendo isso com meu melhor amigo.

— As coisas ainda são um pouco... complexas. Mas eu gosto dele, e muito. Eu ia esperar, ver se os sentimentos passavam, de modo que talvez eu e você pudéssemos... — Interrompi minha fala, não querendo colocar em palavras o que eu vinha pensando. — Mas, Cade, eu não consigo lidar com o modo como as coisas andam acontecendo. Passou-se menos de uma semana e eu sinto como se estivesse morrendo. Odeio questionar tudo o que faço ao seu redor, me perguntando se está tudo bem, se ultrapassa algum limite, imaginando se estou machucando você. Sinto falta do meu melhor amigo, até mesmo quando estou bem ao seu lado. Então... eu tive que fazer uma escolha. E preciso demais de você na minha vida para ferrar com a nossa relação. Se eu tivesse dito que sim a você, e então meus sentimentos por ele não sumissem... eu não conseguiria fazer isso. Por favor, me diga que eu já não ferrei com tudo. Por favor, por favor.

Então ele se virou, e fiquei alarmada com a mágoa que vi nele. O rosto do Cade me parecia estranho, com o cenho franzido.

— Eu quero dizer que estamos bem, Bliss. Eu também preciso de você, mas não posso fingir que não estava esperando que as coisas entre nós fossem chegar a algum lugar. Eu não sei se eu posso fazer isso. A verdade é que... você está me machucando. Não de propósito, eu sei que não é de propósito, mas eu amo você e a cada segundo que você não me ama... machuca.

— Cade... — Estiquei a mão na direção dele.

— Não, por favor. Não dá.

O cheiro de remédio do abrigo de repente era sobrepujante, nauseante. Eu perguntei:

— Não dá o quê? Não dá para você ser meu amigo?

— Eu não sei, Bliss. Eu simplesmente não sei. *Talvez.*

A ponta de amargura no tom de voz dele era pequena, mas me atingiu como se fosse um tapa na cara de qualquer forma. Ele saiu pela porta, e eu me afundei no banco, me sentindo desgastada, queimada e machucada. Meu coração de papel de seda estava retalhado.

Eu me sentei lá, tentando decifrar se haveria como eu ter feito isso de um jeito melhor. Haveria algum caminho possível que eu poderia ter tomado que não teria ferrado tão completamente as coisas entre nós? Teria sido melhor dizer não logo de cara para ele? Eu deveria ter esperado até que o ano tivesse acabado e Garrick teria ido embora e então tentado ter alguma coisa com Cade?

Minha mãe havia me dito uma vez, quando eu era pequena e uma amizade havia sido desfeita, que alguns relacionamentos simplesmente acabam. Como uma estrela, eles queimam ardentes e brilhantes, e então, nada específico dá errado, eles simplesmente chegam ao fim. O fogo se acaba.

Eu não conseguia entender o fim da minha amizade com Cade.

Alguma coisa cutucou minha panturrilha, e então a gata cinza enfiou a cabeça no meio das minhas pernas. Ela empurrou todo o seu corpo pelo vão entre minhas pernas, esfregando-se em mim enquanto passava por ali. Ela deu a volta e pressionou a cabeça na minha canela. Estiquei a mão para baixo e ela ficou paralisada, se achatando contra o chão, com medo. Devagar, eu me mexi até que a minha mão pressionava as costas dela, deslizando por seus pelos em um carinho tranquilo. O corpo dela relaxou, e fiz carinho nela novamente.

Eu me abaixei no chão ao lado dela. Ela se travou de novo, mas não saiu correndo. Quando tive certeza de que ela estava confortável comigo, peguei-a nos braços. Pressionei meu rosto nos pelos dela, absorvendo o conforto que ela não se dava conta de que estava me proporcionando.

— Vamos fazer um trato, Hamlet. Eu ajudo você a ficar menos medrosa, se você me ajudar também.

CAPÍTULO 17

Na hora em que eu tinha preenchido a papelada necessária, e estava com Hamlet alojada dentro de uma caixa barata de carregar gatos, quase trinta minutos haviam se passado desde que Cade tinha saído e ido até meu carro. Parada no estacionamento, eu não conseguia encontrá-lo em lugar nenhum.

Saquei o celular: nenhuma mensagem de texto.

Olhei no para-brisas do meu carro: nada de bilhete.

Liguei para o celular dele: não atendia.

Liguei de novo para o celular dele e caiu direto na caixa postal.

Na hora em que ouvi o bipe, eu estava chorando.

— Cade, eu sinto muito. Sinto muito. Não sei como tornar as coisas melhores. Eu só quero que sejamos como sempre fomos. Meu Deus, que estupidez a minha. Eu sei que não dá. Sei que não podemos ser como éramos antes, mas... eu não sei. Não importa. Apenas... me diz que você está bem. Você não está no meu carro, e eu não sei como você chegou em casa, se é que chegou em casa. Apenas me liga. Por favor. Vamos conversar sobre isso.

Uns poucos minutos depois, eu estava sentada no cascalho ao lado do meu carro, com a minha calça jeans suja de poeira, e recebi uma mensagem de texto.

Estou bem.

Tentei ligar de novo para ele, e caiu direito na caixa postal outra vez.

E, por mais que eu tentasse sentir as coisas de outro jeito, por mais que tentasse ter esperança de que fôssemos superar isso... eu já tinha essa sensação. Eu sentia que o fogo da nossa relação já tinha apagado.

Talvez fosse o pesar. Talvez eu só fosse, por fim, enlouquecer. Talvez só não tivesse nenhum outro lugar aonde ir. Porém, quando voltei ao condomínio onde eu morava, eu não fui até meu apartamento.

Com Hamlet na mão, fui até o apartamento do Garrick.

Eu não sei como estava minha aparência quando ele abriu a porta. Na verdade, não quero saber. Mas ele escancarou a porta quase instantaneamente, fazendo um gesto para que eu entrasse, sem me fazer perguntas.

Eu nunca tinha estado no apartamento dele. Eu deveria ter olhado para tudo ou pedido a ele que me mostrasse o lugar. Eu deveria ter dito alguma coisa, mas a única coisa que eu tinha na ponta da língua era um soluço de choro, e foi preciso usar toda minha energia, toda minha concentração para contê-lo.

Porém, toda minha energia e concentração não foram o bastante quando ele ergueu meu queixo com os dedos. Ele falou meu nome, e eu vi a expressão preocupada naqueles olhos. Comecei a verter lágrimas como se fosse um copo a ponto de transbordar, e eu não conseguia controlar isso, não conseguia respirar direito, não conseguia explicar.

Ele pegou a caixa da Hamlet das minhas mãos e colocou um dos braços em volta do meu ombro. Ele me conduziu por um corredor idêntico ao meu até uma sala de estar que era bem diferente da minha.

Estava repleta de livros, alguns nas estantes, alguns empilhados no chão. Os móveis eram simples, levemente modernos, mas não tão modernos a ponto de eu hesitar em me afundar nas almofadas do sofá preto, agarrando uma almofada branca e abraçando-a junto a meu peito. Então Garrick estava do meu lado, puxando a almofada macia das minhas mãos e substituindo o conforto dela por ele mesmo. Ele me puxou para seu colo, me aninhando como se eu fosse uma criança, secando minhas lágrimas, colocando meus cabelos para trás, esfregando minhas costas.

— Ele me odeia — consegui dizer por fim. Garrick não havia me perguntado, mas a preocupação dele estava me puxando de qualquer forma, e puxou as palavras bem da minha boca.

— Quem odeia você, amor?

Respirações rápidas e rasas saíram dos meus lábios, leves soluços de choro que eu parecia não ser capaz de controlar.

— O Ca-cade.

— O Cade nunca seria capaz de odiar você — ele disse.

— Ele me odeia. Ele foi embora. Ele nem mesmo quer falar comigo.

Eu me desfiz em um outro acesso de lágrimas, e ele apenas me puxou para perto dele, enfiando minha cabeça debaixo de seu queixo, junto a seu peito.

Ele me deixou chorar, murmurando coisas o tempo todo.

Você vai ficar bem, amor. As coisas vão se resolver. Acalme-se. Respire, Bliss. Eu estou aqui. Vai ficar tudo bem. Seja o que for, nós vamos dar um jeito nisso. Está tudo bem, amor.

Ele deve ter sussurrado mil variações disso tudo. Porém, em momento algum ele parou de tentar, não importando o quanto eu não o estava ouvindo. Quando terminei de chorar, estava cansada demais para fazer qualquer outra coisa. Fiquei deitada, com fraqueza, junto dele, sem fazer nada além de inspirar e expirar. E ele me abraçava. Por fim, um ruído abriu um espaço na cortina de névoa. Um gemido baixo, exasperado.

Hamlet. Eu tinha deixado Hamlet presa naquela caixa esse tempo todo. Cheia de propósito, eu me sentei direito e, por ora, estava com a mente limpa de novo.

— Eu sinto muito, tenho que levar a gata para casa.

Quando eu me levantava e esticava a mão para pegá-la Garrick me segurou pelos cotovelos.

— Fique, amor. Você está chateada. Eu cuido da gata.

Não, eu não poderia deixar que ele fizesse isso. Porque então ele veria que todas as coisas de gato que comprei na noite passada estavam ainda novinhas em folha e nunca tinham sido usadas.

— Não, tudo bem. Eu realmente tenho que ir. Estou bem agora, obrigada.

— Bliss, por favor, fala comigo.

O meu corpo inclinava-se na direção dele contra a minha vontade, ansiava pelo conforto dele novamente, mas eu ainda não havia tomado uma decisão.

— Eu não sei...

— Que tal fazermos assim...? Você vai para casa e cuida da gata, e depois de um tempinho, eu levo o jantar. Nós podemos conversar ou simplesmente assistir a um filme ou fazer o que quer que você precise fazer. É só que... se você for embora assim, eu vou ficar louco de preocupação com você.

Depois de um instante, eu assenti.

— Ok.

— Mesmo?

— Sim, só me dê uma hora, ok?

Ele sorriu e eu soube... eu estava encrencada.

* * *

Eu tinha quase certeza de que minha nova gata me odiava.

Não que eu a culpasse por isso, depois de eu tê-la deixado dentro daquela caixa por tanto tempo.

Não importava o que eu fizesse, ela soltava aquele rosnado de boca fechada toda vez em que eu chegava perto dela. Coloquei a comida dela na cozinha, o que ela ignorou. Arrumei uma caixa de areia e coloquei-a em um armário de depósito. Eu a ergui e a levei até a caixa, colocando-a dentro dela para que soubesse onde ela ficava. Ela sibilou uma vez, e depois saiu correndo, chutando areia para cima enquanto isso. Ela sumiu debaixo do meu sofá, e apenas seus olhos reluzentes e maléficos estavam visíveis na escuridão.

Por que eu não tinha dito a Garrick que eu tinha uma gata chamada Lady Macbeth? Isso teria sido muito mais adequado.

No resto do tempo, fiquei sozinha com meus pensamentos, que eram quase tão agradáveis quanto o vírus Ebola. Arrumei a sala e então pensei em sair correndo. Arrumei meu quarto, e depois corri para o banheiro, certa de que ia vomitar. Não vomitei. Eu quase desejei ter vomitado. Eu poderia ter dito que estava doente.

Antes de que eu realmente tivesse a chance de me convencer a entrar nessa ou sair dessa... ouvi alguém bater à minha porta.

Parecia que alguém usava meu coração como trampolim. Inspirei fundo. Eu não havia prometido nada a ele. Ele tinha dito que nós poderíamos conversar. Ou assistirmos a um filme. Ou fazermos o que eu quisesse fazer. Isso não tinha que ser nada demais.

Quando abri a porta, Garrick parecia tão animado que ficava difícil temer a sua presença.

— Esqueci de perguntar o que você queria, então peguei pizza, um hambúrguer e uma salada.

Ele equilibrava os três em suas mãos, e, de repente, fiquei sobrepujada com o quanto eu *gostava* dele. Não apenas de um jeito romântico. De modo geral. Ele era meio que incrível.

Sorri.

— Pizza é uma boa.

Recuei, e ele deu um passo para dentro do meu apartamento. Por mais que eu estivesse surtando mais cedo, parecia natural tê-lo aqui. Não que eu não estivesse mais nervosa, era só que... ele se sentiu em casa.

Nós seguimos até a minha cozinha/sala de estar, e ele colocou a comida na pequena ilha circular que se estendia do balcão da minha cozinha. Eu me ocupei em pegar bebidas e pratos para nós, e quando não havia mais nada com o que me distrair, puxei uma das banquetas de bar que estavam enfiadas debaixo do balcão da ilha e me sentei ao lado dele. Peguei uma fatia de pizza do meu prato, e ele abriu a salada.

Estreitei os olhos para ele.

— Sério que você vai ficar aí sentado comendo salada enquanto eu encho a cara com essa gordura celestial?

Ele colocou tempero em cima do alface e abriu um largo sorriso.

— Ah, eu vou comer o hambúrguer também. E um pouco de pizza, se você deixar um pouco pra mim.

Revirei os olhos. Caras são um saco.

Nós conversamos. Nada realmente sobre algo que importasse. Ele ficou frustrado quando mergulhei a minha pizza em molho *ranch*. Quando o fiz experimentá-la, ele torceu a cara, como se aquilo fosse nojento, mas eu vi quando ele mergulhou uma fatia no molho de novo depois, quando eu pegava mais bebida para mim. Só quando eu estava tão cheia que parecia que ia explodir foi que ele trouxe à tona o meu colapso de mais cedo.

— Então, você pode me contar agora o que aconteceu com o Cade?

Fiquei beliscando o pepperoni na fatia de pizza comida pela metade no meu prato.

— Nós tivemos uma briga. Eu acho. Não tenho certeza. Nós realmente nunca tínhamos tido uma briga antes.

— Sobre?

Soltei o ar que eu vinha prendendo nos meus pulmões e comecei a levar as coisas de volta para dentro da geladeira, e a colocar nossos pratos na pia.

— Sobre o beijo.

Eu podia imaginar a reação do Garrick sem mesmo vê-la, então decidi seguir em frente e lavar a louça... a mão... mesmo tendo uma lavadora de louça.

— Ele gosta de mim — continuei. — Ele me disse isso, depois do beijo, e nós vínhamos tentando agir como se nada tivesse mudado, mas estava horrível, e eu simplesmente me cansei de fingir que as coisas estavam normais entre a gente.

Ele apareceu ao meu lado, pegando um prato, e secando-o para mim. Ele deve ter se dado conta, a essa altura, de que conversar para mim era mais fácil quando não estávamos olhando um para o outro, porque ele manteve os seus olhos focados no prato por um bom tempo depois de seco.

— Então, o que você fez?

— Eu disse a ele que achava que não ia rolar.

— Você não ficou nem um pouco interessada? — quis saber Garrick.

Eu não achava que Garrick realmente queria ouvir isso, mas ele ia ter o que pediu. Eu precisava de alguém com quem desabafar.

— Eu pensei nisso. Cade é uma doçura, e eu gosto de estar com ele, mas ele não faz com que eu realmente *sinta* alguma coisa.

Ele parou de encarar o prato e voltou-se para mim, apoiando o quadril no balcão ao meu lado.

— Eu faço com que você sinta alguma coisa?

Ergui o olhar de relance só por tempo o suficiente para ver se ele estava brincando. Ele não estava brincando. Desviei o olhar.

— Essa é uma pergunta idiota.

— É mesmo? É mais difícil do que você pensa saber o que se passa na sua cabeça.

Sequei as mãos com um pano de prato e fui para o sofá, me empurrando para um canto, e arrastando uma almofada para cima do meu colo.

— Estou falando sério — continuou a dizer Garrick. — Às vezes você reage... bem, como eu quero que você reaja. Porém, em outras vezes, como lá fora durante as audições de rechamada, você me afasta como se não sentisse por mim o que sinto por você.

Apertei a almofada com mais força junto ao meu peito.

— Eu tenho sentimentos por você, Garrick. Só que também fico confusa... e preocupada. E eu não entendo por que você não está preocupado.

Ele sentou-se no lado oposto do sofá, com a almofada inteira do meio do sofá nos separando.

— Eu acho que tudo que eu faço é me preocupar — disse ele.

— E você ainda acha que essa é uma ideia inteligente?

Ele balançou a cabeça, dando risada.

— Ah, definitivamente isso não é nada inteligente. Eu sei que não é. Mas, para ser honesto, Bliss? Estou me sentindo miserável aqui. É ótimo ter um emprego estável, e eu gosto de dar aulas, mas eu não tenho nenhum amigo aqui. Vou trabalhar e depois volto para o meu apartamento. E penso em você, porque não consigo evitar, e não há mais nada para me distrair. Especialmente quando sei que você está a um edifício de distância de mim. A noite em que nos conhecemos... Bliss, eu normalmente não faço aquele tipo de coisa. Mas eu questionava tudo em relação a vir aqui, e você era tudo de que eu precisava. Não sei quantas vezes me impedi de dar uma passada aqui e bater à sua porta. E, sim, ver você com o Cade definitivamente foi uma motivação, porém, mais do que isso... eu simplesmente gosto de você, Bliss. Como professor. Como pessoa. Como homem.

Estava difícil manter a respiração estável, estava difícil fazer com que o anseio não transparecesse na expressão do meu rosto, estava difícil me impedir de esticar a mão para tocá-lo.

— E então, e agora? — perguntei a ele.

— Eu não faço a mínima ideia.

Eu tinha tantas ideias. Esse era o problema.

— Se nós fizermos isso... — comecei a falar, e então parei. Sua postura por completo tinha mudado. Nós estávamos prestes a ultrapassarmos um limite, e nós dois sabíamos disso. — Se formos fazer isso, nós teremos que tomar cuidado. — Ele assentiu, com os olhos fixos em mim. — E eu acho que deveríamos ir devagar. Se nos envolvermos nisso rápido demais, vamos acabar nos descuidando.

E eu precisava de mais tempo para pensar nisso, pensar em sexo com ele, e se era algo que eu queria fazer.

Eu não sabia ao certo se *ir devagar* era algo que conseguiríamos fazer, mas era o único jeito como eu conseguiria fazer isso sem surtar. A quem eu queria enganar? Eu ia surtar de qualquer forma. A diferença estava em se eu ia surtar do tipo "acho que eu vou vomitar" ou se ia surtar do tipo "eu vou me trancar no meu apartamento por uma semana".

— Ok. — Garrick deslizou mais para perto de mim no sofá, parando na metade da almofada do meio. — Eu posso ser cuidadoso... e devagar.

A minha pele foi tomada por arrepios quando ele esticou a mão na minha direção. Eu me permiti sentir medo por um segundo, mas depois, a necessidade de tocá-lo sobrepujou até mesmo meu medo. Empurrei a almofada para fora do meu colo e deslizei na direção dele. Coloquei a mão na dele e ele a puxou para cima, em direção a sua boca, mantendo-a ali junto aos seus lábios. Ele cerrou os olhos e o simples toque foi absorvido pelo meu corpo, aliviando a minha ansiedade.

Como uma chave em uma fechadura, meu corpo caiu para cima do dele, encaixando-se com perfeição. Com minha cabeça no peito do Garrick, e seu braço em volta do meu ombro, inspirei fundo e soube que não teria volta.

CAPÍTULO 18

A leveza da noite anterior evaporou-se na manhã de sexta-feira. Cade não estava enfurecido comigo, por assim dizer, mas ele não estava muito qualquer coisa, para falar a verdade. Ele não falou comigo nos camarins e nem se sentou perto de mim na aula. Quando eu me juntava a uma conversa, ele saía dela. Eu era um hábito, e ele parecia estar largando-o na marra.

O gentil sorriso de Garrick na aula do Preparatório Sênior ajudou. Nós havíamos requisitado os computadores no laboratório de Design para aquele dia, para as pesquisas sobre a pós-graduação. Alguns pesquisavam faculdades, enquanto outros estavam atrás de estágios. Kelsey estava atrás de passagens de avião e albergues em cidades aleatórias pelo mundo.

Eu estava olhando para o mecanismo de busca da *homepage*.

Com as mãos enroscadas nas costas da minha cadeira e o corpo do Garrick inclinado para a frente, perto do meu. A sua proximidade era uma total distração.

— No que você está pensando, Bliss?

Eu deveria ter respondido: "em você. Nu". Isso teria deixado Garrick chocado. Não que eu estivesse, na verdade, pensando nele nu... bem, agora que mencionei isso, eu estava... droga!

Como eu disse... distração.

Balancei a cabeça, porque eu não tinha uma resposta, nenhuma que pudesse dizer em voz alta. Ele deu a volta e se apoiou na minha mesa, olhando para mim.

— Atuação ou Direção de cena?

O olhar que ele fixou em mim parecia pessoal demais nessa sala cheia dos meus colegas de classe, até mesmo que nenhum deles estivesse olhando para nós, bem, além da Kelsey. Ela direcionava o olhar praticamente toda vez em que Garrick conversava comigo, o que me fez lembrar de que eu precisava tomar cuidado.

— Eu não sei — murmurei.

— Ok, bem, e quanto a uma cidade? Você pode começar a procurar apartamentos. Isso é com certeza algo em que você tem de pensar, especialmente se for para Nova York.

Fiquei encarando a caixa de pesquisa do mecanismo de busca. Aquilo estava me provocando.

— Eu não consigo bancar Nova York — falei para ele.

— Não tem problema. A maior parte das pessoas não tem como fazer isso. Há muitos mercados regionais a serem considerados. Filadélfia. — Eu me virei para ficar cara a cara com ele. Ele estava me dizendo para procurar apartamentos na Filadélfia? Onde ele morava? Ele tentava me dizer alguma coisa ou interpretava demais o que ele estava dizendo? O rosto dele estava inexpressivo quando ele prosseguiu: — Dallas e Houston também têm uma quantia considerável de trabalho. Chicago. Seattle. Boston. D.C. Há muitas opções, para falar a verdade.

Eu me virei de novo para meu computador, com o coração ainda batendo um pouco rápido demais. Definitivamente eu interpretava demais isso. Não era como se estivéssemos tendo um relacionamento sério. Nós havíamos passado a noite aninhados no meu sofá. Isso não queria dizer que estávamos juntos e nem que eu estava pronta para me mudar para metade do outro lado do país com ele.

— Apenas explore. Procure alguma coisa — disse ele, antes de sair de perto de mim e continuar dando a volta na sala.

Coloquei os dedos nas teclas, mas eles pareciam ser feitos de chumbo, pesados demais para se moverem. Fiquei com o olhar fixo na tecla com a letra "F". Eu podia ver que Kelsey estava me observando de rabo de olho, e, por mais curiosa que agora eu estivesse em relação à Filadélfia, digitei "Estágios de direção de cena" no mecanismo de busca.

Então fui clicando de uma página da internet para a outra, olhando de esguelha para o relógio, desejando que os números mudassem com mais rapidez.

Quando a aula terminou, o meu alívio não teve uma vida longa.

A lista do elenco tinha sido postada.

Eu ainda era Fedra, o que era uma coisa boa. O quão embaraçoso teria sido se Eric tivesse mudado de ideia? Kelsey conseguiu o papel de Afrodite, como ela queria. Rusty *realmente* ficou com o papel de um soldado, exatamente como ele havia previsto.

E Cade era Hipólito.

* * *

Bati à porta do apartamento do Garrick naquela noite, nervosa, apesar de havermos concordado em irmos devagar com as coisas. Nós não tínhamos realmente falado sobre fazermos nada hoje à noite, e apesar do nosso relacionamento tênue, ainda tínhamos de trocar números de telefone. Então, eu esperava que não estivesse sendo carente procurando-o em uma segunda noite seguida. Definitivamente, Hamlet ficava feliz enquanto eu estava fora do apartamento. Nossa coexistência ainda não estava muito boa.

Minha preocupação foi aliviada quando ele abriu a porta e disse:

— Ah, graças a Deus! Eu fiquei pensando em dar uma passada no seu apartamento durante uma hora, mas fiquei com medo de bater à porta e você estar com visitas ou algo do gênero.

Eu ri.

— Talvez devêssemos realmente trocar números de telefone então.

Ele disse:

— Você vai me colocar na lista de contatos do seu celular com algum apeliado supersecreto para que ninguém saiba quem eu sou quando você me enviar coisas obscenas?

Arregalei os olhos.

— Você está planejando me enviar mensagens de texto com coisas obscenas?

Os olhos dele dançavam, divertindo-se, e aquele largo e ofuscante sorriso estava de volta ao rosto dele.

— Eu não vou excluir essa possibilidade.

Oh. *Oh.* O meu nervosismo foi atacado de novo.

Ele pegou minha mão e me puxou para sua sala de estar, onde havia um livro aberto em cima do sofá. Era de poesia, claro, porque ele era perfeito e muita areia pro meu caminhãozinho. Ele marcou a página em que havia parado e colocou a coleção de poemas em cima de uma pilha de livros à beira do sofá.

Ele esticou a mão e entrelaçou nossos dedos no espaço que havia entre nós. Eu queria me inclinar para junto dele, me envolver em volta dele e não sair dos braços dele até que eu tivesse que fazer isso, mas eu ainda me sentia um pouco estranha. Estaríamos nós naquele ponto em que poderíamos apenas fazer isso? Ou será que teríamos que nos preparar para isso?

— Então... A lista do elenco? — ele me perguntou. Soltei um gemido e apoiei a cabeça de volta no sofá dele. — Não é tão ruim assim, é?

— Depende: caso o Cade esteja falando comigo quando começarem os ensaios, dentro de duas semanas.

Eu não tive que me preocupar quanto a me aninhar junto a ele, porque o Garrick não teve problema nenhum em me puxar para junto dele. Minha cabeça encaixou-se perfeitamente na curva do ombro dele.

— Cade me parece um cara razoável. Eu tenho certeza de que, depois de um tempinho para processar tudo, ele estará melhor.

Assenti, na esperança de que ele estivesse certo, mas não me sentia muito confiante. Cade era razoável. O problema era que... provavelmente a razão havia lhe mandado ficar longe de mim, caramba, se ele não quisesse ter o coração pisoteado. E talvez fosse bom assim.

Ele merecia alguém melhor.

— Certo — disse Garrick. — Chega de falar disso. Eu não gosto dessa expressão de tristeza no seu rosto. Infelizmente as nossas opções para essa noite são limitadas, já que, na verdade, nós não podemos ir a lugar nenhum. Então, que tal vermos um filme?

Eu me forcei a abrir um sorriso. Quando ele sorriu em resposta, precisei me esforçar menos para manter o sorriso no meu rosto.

— Um filme me parece ser uma boa ideia.

Ele escolheu algo divertido, provavelmente em um esforço para me animar. Então ele apagou as luzes e se juntou a mim de novo no sofá. Quando os créditos de abertura começaram, ele reclinou-se, me puxando junto a ele. Ele estava estirado, com as costas encostadas no sofá, e eu estava de lado, encaixada entre ele e as costas do sofá. Hesitei por um instante antes de deitar a cabeça junto ao peito dele.

Eu tentei ver o filme, tentei mesmo, mas ficava difícil me concentrar quando as respirações estáveis e regulares dele despenteavam meus cabelos, e com a mão dele fazendo traços invisíveis, subindo e descendo pela minha coluna. Aquilo ficava em algum ponto entre causar cócegas e seduzir. Eu estava muito ciente da maneira como, de vez em quando, o dedo dele continuava a descer um pouco abaixo das minhas costas, até ele mal tocar a faixa de pele entre onde acabava a minha blusa e começava o meu short. Ele ficava lá por apenas pouquíssimos segundos antes de voltar a subir pela minha coluna. Então seu dedo subiu dançando até a pele sensível na minha nuca, e eu tive que conter um gemido. Ergui o olhar de relance para cima, olhando para ele, mas ele estava concentrado no filme, completamente alheio ao estado de loucura a que ele me levava.

Por fim, decidi que estava na hora de ele receber uma dose do que eu estava sentindo. Desenrolei a mão que estava cerrada em punho e que eu descansava no peito dele, pressionando as pontas dos meus dedos bem de levinho. Comecei a tracejar o desenho abstrato na camiseta dele, alguma coisa de uma banda, eu acho. Mas, assim que eu tinha feito isso, continuei passando as mãos pelo peito dele, pela curva de um músculo peitoral, descendo pelo esterno até sua barriga cheia de sulcos de músculos, e de volta, subindo até seu peito, até os músculos que se estiravam do seu ombro até seu bíceps. Quando minha mão fez um dos movimentos que ele estava fazendo, mal tracejando ao longo da barra de sua camiseta, a mão que ele tinha nas minhas costas parou de se mexer.

De alguma forma, isso me deixou ainda mais tensa.

Sentindo-me um pouco valente, voltei à barra de sua camiseta, empurrando os meus dedos para cima, debaixo da camiseta, usando as unhas para tocar bem de leve em sua pele. A mão que ele tinha nas minhas costas se mexeu, deslizando para cima, passando pelo meu pescoço e entrando nos meus cabelos. Espalmei minha mão, pressionando a palma em sua pele cálida. Ele apertou a pegada com a mão que estava nos meus cabelos, não a ponto de machucar, mas apenas o bastante para que pudesse usá-la para inclinar a minha cabeça levemente para trás.

Ele ficou me fitando, sem nenhum traço do largo e provocante sorriso, seus olhos azuis parecendo pretos na sala escurecida. Seus olhos dançavam mirando meu rosto, alternando-se muito frequentemente entre meus olhos e meus lábios. A expectativa estava me matando, e eu afundei os dedos em sua pele. A sua respiração não estava mais tão regular, mas ele ainda olhava para mim. Lambi os lábios, e o olhar contemplativo do Garrick permaneceu em meus lábios mais um tempinho, tempo suficiente para que o calor formasse uma poça entre minhas pernas, por causa da expectativa em si, e eu me contorci para aliviar a pressão.

Quando ergui uma das minhas pernas, enrolando-a na dele, ele tomou a iniciativa. A mão que ele tinha nos meus cabelos me puxou para a frente e ele me encontrou no meio do caminho. Toda a expectativa dos últimos dez minutos ficou concentrada no ponto em que nossos lábios se encontraram. A conexão era pequena demais para fazer com que fogos de artifício explodissem na minha mente, mas era algo próximo disso, como a excitação de segurar uma garrafa de vinho espumante, a onda da sensação da espuma se aproximando da mão da gente.

A sua boca permaneceu fechada, e mesmo que eu tivesse sentido seu sabor várias vezes antes, o mistério estava me matando.

Parecia um primeiro beijo. Ele foi para trás e pressionou a testa na minha.

— Obrigado — ele disse.

Obrigado? Seria isso como um “obrigado, mas, não, obrigado”? Obrigado, mas eu estou vendo um filme, me deixa em paz?

— Pelo quê?

— Por me dar uma chance. Eu sei que você estava... provavelmente está... com medo. Mas você já tornou a minha vida imensamente melhor.

Não sei se era o fato de ser um ator que o tornava tão honesto, tão sem medo de ser vulnerável, ou se esse era apenas quem ele era. Desejei poder fazer o mesmo, mas *eu* não era assim.

— Posso lhe fazer uma pergunta?

Ele passou a mão que estava nos meus cabelos pelo meu maxilar.

— É claro — foi a resposta dele.

— Por que você aceitou esse trabalho? Não é que eu não esteja feliz porque você está aqui, mas você mesmo disse que estava se sentindo miserável.

— Eu estava... não estou mais.

Ele inclinou-se para a frente de novo e me beijou outra vez, emitindo um zunido enquanto pressionava seus lábios nos meus. Não deixei de notar que ele não havia respondido a minha pergunta, mas eu não me importava o suficiente com a resposta a ponto de parar de beijá-lo, especialmente quando sua boca finalmente se abriu, e senti o sabor doce e mentolado, e seu hálito mesclou-se com o meu.

Sua língua deslizava de encontro à minha, e a minha mão debaixo de sua camiseta voltava à vida, curvando-se em volta dele, puxando-o mais para perto de mim até que a minha pélvis pressionasse os quadris dele. O beijo era calmo e divino, mas lento demais, lento, lento...

Eu queria mais. Eu queria que nossos corpos ficassem excitados, eu queria que nossos lábios esmagassem um ao outro, não uma provocação suave. Eu não queria perder o contato com a pele dele, mas eu queria estar no controle. Minha outra mão estava presa debaixo de mim, me apoiando para cima em um dos lados. Então eu deslizei a minha outra mão para fora de sua camiseta, e a coloquei em seu rosto. Puxei-o mais para perto de mim, tentando mudar o ritmo.

Ele permitiu que isso acontecesse por um instante, nossos lábios moviam-se mais rápidos, o hálito escapava enquanto nossas cabeças se inclinavam e nossas bocas travavam uma batalha. E, ah, meu Deus, isso era bom! Continuei puxando, não satisfeita, não perto o bastante, até que ele ergueu o corpo em um ângulo e rolou para ficar de lado, de frente, para mim. Um suspiro de sucesso escapou de mim, e então ele pegou a mão que eu tinha colocado sobre o seu rosto e puxou-a para longe, longe, até que ela estava presa atrás de mim, mantida lá, pressionada por sua mão, junto à parte debaixo das minhas costas.

Então, de novo, ele reclinou-se, roçando os lábios nos meus, lenta e suavemente. Era de enlouquecer! Eu tentei me inclinar na direção dele, mas ele se manteve forte, prendia-me para trás, sem pressa. Soltei um grunhido de frustração.

E ele *sorriu.*

— O que foi, amor?

Muitas palavras poderiam ter saído da minha boca, algumas delas, incoerentes, a maioria, não muito agradáveis. Por sorte, aquelas que consegui falar eram exatamente as que eu queria dizer:

— Devagar demais — falei, choramingando.

Eu realmente estava *choramingando.*

— Eu disse a você que eu poderia fazer as coisas devagar — disse ele.

— Seu imbecil.

Na verdade, essa foi uma das palavras mais agradáveis dentre as que estavam passando pela minha cabeça.

Ele nem mesmo teve a decência de ficar preocupado. Ele só deu risada. Eu me contorci, tentando puxar o braço para que ficasse livre, e ele me acalmava com um beijo, este um pouco mais intenso, um pouco mais satisfatório que o último. E logo quando eu tinha me esquecido do motivo pelo qual eu havia ficado tão frustrada antes, ele recuou novamente.

Era um absurdo, mas eu realmente sentia como se eu pudesse começar a chorar. Os lábios dele trilhavam ao longo do meu maxilar até aquele ponto abaixo da minha orelha que fazia com que todos os músculos retesados no meu corpo ficassem relaxados.

— Eu não estava tentando bancar o espertinho — ele sussurrou. — Eu estou tentando lhe dar o que você me pediu. É difícil quando eu me solto, quando beijo você do jeito como eu quero. Porque tudo em que consigo pensar então é no gosto que sua pele tem, e no quanto quero saboreá-la de novo. — A boca dele ardia, quente, junto ao meu pescoço. Os seus dentes esbarraram de leve nos meus e, por impulso, os meus quadris foram para a frente com tudo, apenas mal fazendo contato com ele, que gemeu em resposta, e os seus sussurros ficaram roucos, perdendo a suavidade. — Eu me lembro do peso do seu seio na minha mão, e da forma como você reagiu aos meus dedos dentro de você. — Eu mordi o lábio para não deixar sair a lamúria que se formava em minha garganta. Eu queria as mãos dele em mim. Queria que tirássemos nossas roupas. — Eu penso em ter o seu corpo debaixo do meu. Penso em estar dentro de você. Penso nisso e isso me consome. E fazer as coisas devagar é a última das últimas coisas que passam pela minha cabeça.

Eu perdi. Não consegui segurar a lamúria, e sentia como se fosse ser dilacerada apenas pelas palavras dele.

— Então, eu tenho que beijar você devagar. A menos que você tenha mudado de ideia. Você... mudou de ideia?

SIM! Por favor, ah, meu Deus, sim! Isso era como tortura. No entanto, a razão se desenrolou em segundo plano na minha mente, depois assumindo o controle, me deixando de castigo. E se nós tentássemos fazer sexo e eu amarelasse de novo e arruinasse tudo?

— Não, eu não mudei de ideia — falei. E depois acrescentei: — Seu imbecil — porque isso *era* tortura, e pelo sorriso no rosto dele, ele sabia disso.

— Hummmm... então devagar será.

CAPÍTULO 19

Eu ainda estava um pouco com raiva do Garrick quando saí do apartamento dele naquela noite, porém, quando ele andou comigo até a porta do meu apartamento, e perguntou o que eu ia fazer no dia seguinte, eu não estava com raiva suficiente para dar o fora nele. Cade não estava falando comigo, e eu não tinha tido notícias da Kelsey, de modo que disse a ele que estava livre, e nós fizemos planos para jantarmos no meu apartamento.

Dormi além da conta, até meio-dia, pois minha cama estava confortável demais para que eu me forçasse a sair dela. Depois me distraí com um banho bem longo, em seguida fiz a lição de casa, e depois fui ler um livro. Quando olhei no relógio, ainda eram apenas três da tarde.

Peguei o meu computador e pesquisei por "Teatro da Filadélfia".

Encontrei um website da aliança de teatros que tinha informações sobre um punhado de teatros na cidade, assim como postagem de anúncios de trabalho e audições. Cliquei neles para vê-los, vendo quais espetáculos estavam atualmente em cartaz por lá, lendo descrições de vagas de emprego e favoritei algumas páginas.

O meu celular tocou, mas ele soava muito distante. Tentei seguir o som, mas o toque parou antes de eu conseguir saber que o celular estava em algum lugar da sala de estar. Por sorte, quem quer que estivesse me ligando era persistente e ligou de novo, pouco tempo depois. Definitivamente o meu celular estava em algum lugar perto do sofá. Puxei as almofadas para trás, mas não achei nada. Dei uma olhada debaixo de papéis e livros... ainda, nada. Por fim, fui para o chão e espiei debaixo do sofá. Lá estava ele, iluminando a escuridão empoeirada debaixo dos meus móveis. E bem ao lado dele, olhando feio para mim, estava Hamlet.

Aquele breve interlúdio de doçura que eu tinha visto dela no abrigo ainda precisava fazer uma outra aparição. E eu não tinha dúvidas de que, de alguma forma, ela havia levado o meu celular até ali embaixo do sofá para me irritar.

— Escuta aqui, gata, eu não sei por que você me odeia tanto, mas você não deve ter entendido o que houve. Eu *resgatei* você. — Com a barriga no chão, eu me espremi debaixo do sofá, esticando a mão para pegar o meu celular. — Você *deveria* estar agradecida por isso.

Quando minha mão chegou mais perto dela, ela soltou seu rosnado baixo que agora me era familiar.

— É, é, fica quieta.

Tive que empurrar metade do corpo para dentro da fenda entre o móvel e o chão para alcançar meu celular e tirá-lo dali, e sair dali foi até mesmo mais desconfortável do que entrar.

2 chamadas perdidas de MÃE.

Soltei um gemido. Eu deveria ter deixado o celular debaixo do sofá. Naquele instante, ele tocou de novo, pela terceira vez. Atendi:

— Oi, mãe.

— Por que você não atendeu o celular nas duas primeiras vezes? Está tudo bem?

— Estou bem, mãe. É só que eu não conseguia achar o celular.

— Ah, bem, você deveria realmente ter um lugar para colocá-lo toda vez que você voltar para casa, desse jeito, você sempre vai saber onde ele está.

— Vou pensar nisso, mãe.

— Então, a sua desorganização já não é novidade faz tempo. O que mais está acontecendo na sua vida?

Juro que minha mãe é a única pessoa no mundo que não achava que eu era uma surtada, neurótica, maníaca por controle, porque ela era infinitamente pior do que eu. Ela fez a pergunta inevitável:

— Você conheceu alguém?

Revirei os olhos, algo que eu nunca poderia ter feito e saído ilesa se estivesse cara a cara com ela.

— Ando bem ocupada com a faculdade, mãe. Para falar a verdade, acabei de ser escolhida para o papel principal em uma peça.

— Ah, que bom — disse ela, em um tom indulgente.

Ela achava que estudar teatro era um desperdício da minha inteligência.

— Para falar a verdade, é meio que uma grande coisa.

— É claro que é, doçura. Você simplesmente sabe o quanto seu pai e eu ficamos preocupados. Nós nos sentíamos muito melhor se você tivesse alguém que cuidasse de você financeiramente.

Alguém bateu à porta, e eu fui atendê-la enquanto nos falávamos.

— Em primeiro lugar, segurança financeira não é um motivo bom o bastante para se casar com alguém, mãe, mesmo que isso faça com que *você* se sinta melhor. Segundo, eu não preciso de um cara para cuidar de mim. Eu posso fazer isso sozinha.

Garrick estava do outro lado da porta, quase uma hora adiantado, e ele acabou ouvindo o finalzinho do meu discurso. Ele ergueu uma sobrancelha, sorrindo, e, se eu pudesse enfiar a mão no meu celular e estrangular a minha mãe, eu teria feito isso.

— De qualquer forma, eu preciso ir, mãe. Estou com companhia.

— É uma companhia masculina?

Eu resmunguei e disse:

— Tchau.

Eu me senti tão bem desligando o telefone! Fiquei tentada em ligar de volta para ela e desligar uma segunda vez.

Garrick sorriu.

— Sua mãe se parece bastante com a minha.

Olhei feio para ele.

— Você está adiantado.

Eu tinha um rabo de cavalo com meu cabelo molhado hoje de manhã. Tinha planejado alisá-los antes de o Garrick chegar, mas agora eu parecia apenas uma desmazelada. E, depois de rastejar para debaixo do sofá, eu estava coberta de poeira também.

— Tudo bem?

Provavelmente seria bem rude mandar que ele voltasse para o apartamento dele e retornasse ao meu dentro de uma hora.

— Não, tudo bem. Você pode ficar assistindo à TV ou algo do gênero. Eu só preciso de um segundo.

Acenei para que ele fosse até a sala de estar, e entrei de fininho no meu quarto, me perguntando que progresso eu teria dentro de cinco minutos.

Tirei o prendedor dos meus cabelos e olhei para a bagunça ondulada com que eu teria que lidar. Não daria tempo de secar e alisar os cabelos. E, se eu secasse os cabelos sem os alisar, teria uma bola felpuda na cabeça. Eu usei as mãos para bagunçá-los um pouco mais, amassando-os com as mãos, na esperança de que o visual ondulado fosse servir. Passei um pouquinho de mousse neles, mas isso era tudo que dava tempo de fazer. Passei uma rápida camada de rímel e um pouco de hidratante labial, esperando que ele fosse ficar de boa com meu visual natural.

Quando saí do quarto, ele estava estirado no meu sofá, assistindo à TV, e Hamlet estava enrolada, uma bolinha firme em cima do peito dele. Fiquei lá parada, em pé, em estado de choque, certa de que eu estava sonhando.

Ele se virou e viu que eu observava a cena.

— Ei, seus cabelos são ondulados.

Assenti. Eu quase sempre os usava lisos.

Ele disse:

— Eu gosto deles assim.

Eu ainda estava presa ao fato de que minha gata estava empoleirada e feliz em cima do peito dele... *ronronando!* Ele tinha poderes mágicos. Essa era a única resposta.

— Vem aqui — disse ele, sentando-se direito e colocando Hamlet em seu colo. Eu me sentei com cautela a alguma distância.

Apontei para Hamlet e disse:

— Como foi que você fez isso?

— Fiz isso o quê?

— Fez com que ela deixasse você pegá-la?

— É fêmea? — perguntou ele.

— Sim, e ela odeia todo mundo. Especialmente a mim.

— Sua própria gata odeia você?

— Nós estamos trabalhando quanto aos nossos problemas.

Ele riu.

— Talvez ela esteja ofendida porque você deu a ela um nome de menino.

Estiquei a mão para fazer carinho nela, e, como sempre, recebi um rosnado por ter me dado ao trabalho de tentar fazer isso. Garrick achava o ódio de Hamlet por mim hilário. E ele continuava segurando-a, o que queria dizer que eu estava relegada à almofada oposta porque a minha gata havia roubado o meu... fosse ele o que fosse.

Argh! Isso era algo em que eu não queria pensar. Quero dizer, é óbvio que se tratava de um relacionamento secreto, então não era como se, necessariamente, precisássemos de rótulos, mas eu *estava* curiosa. O que aconteceria quando o ano terminasse? Será que ainda duraríamos tanto assim?

Eu me levantei para começar a preparar o jantar para me distrair.

Fiz espaguete porque era a única coisa em que eu confiava que conseguiria fazer sem estragar tudo quando eu estava nervosa. E, bem... eu sempre ficava nervosa em volta do Garrick. Aparentemente, ele tinha o efeito oposto em Hamlet, que caiu no sono rapidinho no colo dele.

Vi minha oportunidade de fazer o que eu estava desejando ardentemente desde que ele havia chegado.

Deixei a comida cozinhando no fogão e fui até o sofá. Não me sentei por medo de acordar a gata temperamental, mas coloquei uma das mãos no ombro dele, e me inclinei para baixo, para um beijo. Já que as mãos dele estavam presas embaixo de Hamlet, eu ganhei controle do beijo. Minhas mãos encontraram os cabelos dele, que eram viciantes e macios, como sempre, e o beijo ficou mais intenso. Eu o beijei com ardor, porque eu podia, e ele não fez nenhum esforço para me impedir. Esse era o beijo que eu quis na noite anterior, aquele que ele havia se recusado a me dar.

Eu não queria recuar, mas realmente havia um jantar sendo preparado. Os olhos de Garrick estavam escuros quando nos separamos.

— Eu acho que pode ser que você seja um pouco malvada — disse ele.

Dei risada.

— Sim, eu planejei isso tudo. Hamlet fazia parte do plano também.

— Me beije de novo.

Ele não tinha que me pedir duas vezes. Todas as vezes em que nos beijávamos, minha confiança ficava mais forte. Quanto mais eu o conhecia, mais audaz eu ficava. Eu gostava disso... quase tanto quanto gostava dele.

Alguém bateu à porta, três batidas altas, seguidas de mais três apenas segundos depois. Nossas respirações ainda estavam rasas por causa do beijo, e eu não sabia ao certo se o tum-tum-tum rápido do meu coração era por causa do Garrick ou por causa do choque.

— Você está esperando alguém? — ele me perguntou sussurrando.

Balancei a cabeça em negativa. Mais três batidas e então Kelsey gritou através da porta:

— Eu sei que você está aí, Bliss! Abra essa porta!

— Merda.

Não fiz nenhum esforço para ser gentil enquanto erguia Hamlet do colo de Garrick, e a joguei em cima do sofá. Eu quase nem mesmo notei o rosnado, que já havia se tornado algo tão comum...

Segurei Garrick e puxei-o para que pudesse ficar de pé. Eu não fazia a mínima ideia de onde eu haveria de colocá-lo, mas decidi que o banheiro provavelmente era melhor do que o quarto, visto que, na verdade, o banheiro tinha porta e o quarto, não.

Empurrei-o para dentro com um rápido:

— Eu sinto muito. Juro que vou me livrar dela.

Ah, se tivéssemos ido para o apartamento dele...

Esfreguei os lábios com os dedos, na esperança de que não estivessem tão inchados quanto pareciam. Passei a mão nos cabelos, e quando tive certeza de que nada estava obviamente fora do lugar, abri a porta.

Kelsey passou voando por mim.

— Já era hora, droga! O que você estava fazendo?

Soltei um bocejo fingido.

— Ah, sabe, não estava fazendo nada.

Ela revirou os olhos e olhou para mim como se *eu* é que fosse a pessoa frustrante ali.

— Que bom que dei uma passada aqui então. Eu não vou deixar você ficar em casa em uma noite de sábado se lamentando pelo lance com o Cade.

Ela me segurou pelo pulso, e me puxou para dentro do meu quarto. Então o banheiro tinha sido a escolha certa.

— Eu não estou me lamentando! — falei. — E como é que você sabe do lance com o Cade?

— Porque todo mundo sabe, docinho. O que, a propósito, me deixa irritadíssima por você não ter me contado todo esse drama que andava rolando.

Ótimo.

— Não é na verdade tanto drama assim. Nós vamos ajeitar as coisas logo, espero — falei.

— Ah, docinho, você não ficou sabendo? O Cade quase recusou o papel em *Fedra*. Ele não fez isso, graças a Deus. Mas eu não diria que isso "não é tanto drama assim".

Afundei na minha cama, minhas entranhas se contorciam como um trapo sendo espremido. Cade estava tão chateado assim? Ele recusaria aquele excelente papel só para não ter que ficar perto de mim?

A voz de Kelsey veio até mim de dentro do meu closet, e eu tive um *déjà-vu* da noite em que todo esse lance havia começado. Ela começou a puxar regatas e saias, e eu perguntei:

— O que você está fazendo?

— Nós vamos sair. Você precisa se lembrar de que existe um mundo do lado de fora do seu apartamento.

— Não, Kelsey, eu realmente prefiro não sair.

Pensei no Garrick, que estava dentro do meu banheiro, e me perguntava se ele podia nos ouvir.

— Azar o seu. Eu não estou lhe dando uma escolha. Faz um século que eu não saio pra dançar, e eu preciso de alguém pra ir comigo.

Soltei um grunhido e caí pesadamente de volta na minha cama. Ela jogou uma saia no meu rosto.

— Vista-se.

Então eu me lembrei da desculpa perfeita.

— Eu não posso. Estou cozinhando o jantar.

— Ótimo. Estou morrendo de fome. O que temos para comer?

Às vezes eu achava que minha vida seria mais fácil se eu não tivesse amigos.

Voltei à cozinha, e ela foi atrás. Eu tinha deixado o molho no fogo por um pouquinho de tempo demais e havia queimado em volta das bordas. Pode esquecer o "não ferrar com o espaguete".

— Eita, mulher, você estava planejando comer pra esquecer os problemas? Você fez comida suficiente pra três pessoas!

Apenas dei de ombros. Eu não tinha nada para explicar por que eu estava cozinhando para duas pessoas (sendo que uma delas tem um apetite muito grande).

Eu pus um pouco de espaguete nos nossos pratos, tentando deixar um pouco para Garrick, mesmo não fazendo a mínima ideia de quando ele conseguiria comê-lo.

Comi rapidinho, deixando que Kelsey dominasse a conversa, que era sobre como fazia tanto tempo que ela havia feito sexo realmente bom. Assentia conforme ela falava, dando risada nos pontos certos, enfiando comida na boca o tempo todo. Limpei meu prato antes que ela tivesse comido mais do que um pouquinho da comida no dela. Coloquei o prato dentro da pia, e então me dirigi ao corredor.

— Aonde você está indo? — me perguntou Kelsey.

— Ao banheiro! — gritei, por cima do ombro, e continuei andando.

Quando cheguei à porta do banheiro, olhei de relance por cima do ombro, feliz por me deparar com Kelsey preocupada com seu espaguete, e entrei no banheiro de fininho.

— Ela já foi? — quis saber o Garrick.

— Shhh!

Ele estava apoiando-se na pia, e eu dei a volta por ele para abrir a torneira de modo a cobrir os nossos sussurros.

— Não. Eu sinto muito. Para falar a verdade, ela está comendo o nosso espaguete.

Ele franziu os lábios e eu me inclinei para a frente, afogando a minha risada no peito dele.

— Ela vai embora logo?

Ergui o olhar para ele, apenas para dar uma espiada, mas permaneci junto dele e grudada nele.

— Não. Ela acha que estou deprimida por causa do Cade, e ela está determinada a me forçar a sair.

Ele me puxou para junto de si, e pressionou o rosto no espaço onde meu pescoço se curvava e se juntava a meu ombro. Ele soltou um rosnado que estranhamente me lembrava a Hamlet. Envolvi-o com os braços, simplesmente tão desapontada quanto ele.

— Eu sei. Isso é um saco.

Como se eu tivesse dado a ideia a ele, seus lábios cobriram o ponto do meu pulso, sugando o local com suavidade. Dei risada e o empurrei para trás.

— Garrick, ela está bem ali fora.

Como se adivinhasse, Kelsey bateu à porta.

— Chega de enrolar, *chica*! Já escolhi o seu visual!

A maçaneta da porta do banheiro começou a ser girada, e eu corri para interrompê-la.

Coloquei o pé no caminho de modo que apenas uma fresta de espaço se formasse.

Eu disse:

— Eu não estou enrolando, só ficando pronta. Pode me entregar as roupas que eu vou me trocar.

Ela olhou com ares de suspeita para minha animação fingida. Eu nunca ficava animada quando ela me arrastava para sair desse jeito. Continuei sorrindo, como se talvez o estresse tivesse me atingido, e eu finalmente tivesse quebrado.

Ela me passou as roupas, e antes que ela tivesse uma chance de responder, empurrei a porta, fechando-a, e tranquei-a da forma mais silenciosa quanto possível.

Quando me virei, Garrick estava curvado sobre a privada. Liguei o rádio, aumentando o som até o mais alto que eu conseguia aguentar, e fechei a torneira da pia.

— Eu sinto muito, Garrick.

Sentado, a cabeça dele estava na altura do meu peito, e ele descansava as mãos nos meus quadris, me puxando para a frente.

— Está tudo bem, amor. Isso ia acabar acontecendo cedo ou tarde.

— Eu gostaria que você pudesse vir comigo.

— Eu também, amor. Mas tudo bem, a gente janta uma outra vez. Você deveria ir se trocar. Quanto mais rápido você sair daqui, menos chances de sermos pegos.

Eu assenti. Minhas mãos tremiam de leve enquanto eu puxava as roupas até o meu peito. Ele disse:

— Eu fecho os olhos.

E eu dei um rápido beijo de agradecimento na bochecha dele. Sorrindo, ele fechou os olhos, e então apoiou os cotovelos nos joelhos e o rosto em suas mãos. O mais rápido quanto me era possível, tirei a blusa e o short. Puxei uma regata preta por cima da cabeça e então peguei a saia.

Quase tive um treco.

Ah, meu Deus, era aquela minissaia horrendamente curta! Eu devo ter feito algum barulho porque o Garrick levantou a cabeça. Ele manteve os olhos fechados enquanto perguntava:

— Está tudo bem?

Eu disse que sim, embora estivesse pensando: *que diabos, não!* Vesti a saia e ela era tão curta quanto eu lembrava. Soltei um suspiro. De jeito nenhum eu ia vestir isso.

Encostei com uma das mãos no ombro do Garrick, querendo dizer a ele que eu ia até lá fora para achar uma outra coisa para vestir, mas seus olhos se abriram e se fixaram nas minhas pernas, que, de repente, ficaram fracas, como se fossem poças de tecido em vez de músculo, carne e ossos.

Ele envolveu a minha perna com uma das mãos para fazer cócegas atrás do meu joelho, e eu tive que me equilibrar com uma das mãos no ombro dele, para não cair.

— Você está tentando me matar, não está? — ele engasgou. — Essa não é a saia que você me disse que nunca ia usar?

— E não vou usar isso essa noite. Eu vou voltar ao meu quarto e achar alguma outra coisa para vestir.

Eu me virei, e a outra mão dele tocou a minha coxa.

— Espera.

As mãos de Garrick foram subindo em sua trilha até a bainha indecentemente curta da saia, e em volta da parte de trás das minhas coxas, poucos centímetros abaixo da curva do meu traseiro.

— Você. É. *Inacreditavelmente.* Sexy.

A voz dele estava tão baixa que retumbava, e eu podia sentir as vibrações entrando na minha pele. Ele se inclinou para baixo e pontuou cada palavra com um beijo casto na lateral da minha coxa. Eu podia ser argila nas mãos dele, do jeito que ele me controlava. Se ele tivesse tentado, eu poderia ter cedido a minha virgindade a ele ali no banheiro sem muito esforço.

No entanto, o punho cerrado de Kelsey socou a porta, e isso me tirou do meu estado de tesão.

— Droga, Bliss. Dá pra andar logo?

Com as palavras dela, voltou o meu medo. É claro que ele me achava sexy agora. Mas virgens eram praticamente as coisas menos sexy do mundo. Será que ele mudaria de ideia se descobrisse?

— Tenho que ir. Eu sinto muito. Provavelmente sobrou um pouco de espaguete, se você quiser comer um pouco depois que sairmos. Eu... eu ligo pra você, ok?

Ele assentiu, com os olhos ainda escuros, inabalável.

Saí aos tropeços no corredor, uma confusão de hormônios e emoções. Eu estava tão distraída que nem mesmo me lembrei de que pretendia me trocar até que já estava com o cinto de segurança afivelado dentro do carro da Kelsey e estávamos a caminho da casa noturna.

CAPÍTULO 20

Quando nós entramos, a casa noturna, *Ecstasy*, estava escura e nebulosa. A batida da música socava as paredes e passava por elas e pelo chão, entrando na minha pele, deixando-me tensa. Essa não era nem um pouco a minha praia, mas Kelsey adorava isso. Imaginei que tudo que eu tinha que fazer era ficar no bar, talvez conversar com um ou dois caras para que ela saísse de cima de mim. Então, provavelmente ela iria para casa com algum cara e me deixaria com o carro dela. Era assim que as coisas geralmente aconteciam.

O que eu não tinha previsto era que a forma como eu estava vestida alteraria o plano normal. Mal se passou um minuto desde que nós havíamos entrado ali até que um cara me chamou para dançar. Eu recusei o convite, o que fez com que Kelsey me fuzilasse com os olhos.

— Que foi? — gritei acima da música. — Você disse que eu tinha que vir, não que eu tinha que dançar!

Nós ficamos paradas e em pé no bar, e eu tentava chamar um barman, enquanto ela me reprovava.

— Você é a pessoa mais irritante que eu já conheci na minha vida! Você está gostosíssima essa noite, e tudo que você vai fazer é se sentar aqui e ficar fazendo bico, como sempre!

— Então talvez você devesse ter me deixado *na minha casa* fazendo bico!

Um cara deu uns tapinhas de leve no meu ombro, e eu não esperei que ele me chamasse para dançar antes de dizer:

— NÃO!

Kelsey fixou as mãos nos quadris e, para uma sósia da Barbie, ela ainda estava bem intimidante.

— Eu percebi que você está chateada e que tem um monte de coisa acontecendo com você. Estou tentando ser compreensiva, mas qual é o seu *problema?*

— Eu não tenho nenhum problema, Kelsey. Só que eu não gosto de que você ache que pode me arrastar para os lugares sem se preocupar nem um pouco com o que eu realmente quero!

— Tudo bem! Deixa pra lá! Eu desisto! Fique sentada aqui, fazendo bico! Eu vou dançar!

Ela girou e foi empurrando e abrindo caminho para passar em meio à multidão, derrubando diversos drinques das pessoas e batendo nelas para que saíssem do seu caminho.

Que Barbie assustadora!

Fui me sentar em uma banqueta, ciente do fato de que minha saia curta fazia as minhas pernas desnudas ficarem coladas no plástico. Eu não ficaria muito surpresa se minha bunda estivesse à mostra, mas, nesse instante, eu estava irritada demais para me importar com isso. Pedi um Jack e uma Coca, e fiquei lá sentada, bem agitada, enquanto esperava pelo meu drinque. Eu sabia que Kelsey tinha boas intenções, mas a solução para todos os problemas do mundo não era cair na gandaia. Sempre soube que nós duas éramos pessoas muito diferentes, mas nunca tinha me dado conta do quanto ela não me entendia.

— Posso pagar um drinque para você? — me perguntou uma voz vinda de trás do meu ombro. Ergui o meu drinque cheio e o ignorei.

O cara sentou-se a meu lado mesmo assim. Ele se inclinou para me perguntar alguma coisa e eu falei, irritada:

— Eu não estou interessada!

Foi então que uma voz familiar respondeu:

— Fico feliz de ouvir isso.

Eu quase caí da banqueta em que estava sentada quando captei o sotaque naquela voz.

— Garrick!

Garrick era o cara que estava sentado a meu lado, com um boné puxado para baixo cobrindo seus olhos, cobrindo seus lindos cabelos loiros. Ele não tinha soado como o Garrick da primeira vez em que falou.

— Você soou...

Quando ele respondeu dessa vez, ele não tinha mais sotaque, e soava americano. Nenhum dialeto específico, apenas... normal.

— Eu sou um ator, Bliss. Eu sei como cobrir meu sotaque.

Ainda chocada, perguntei:

— O que você está fazendo aqui? E se alguém vir você?

— Estou... meio que... disfarçado. E se alguém me vir, eu só vou dizer que nos encontramos por acaso. Sou um professor, não fiz votos de ter vida social zero.

— Mas... por quê?

— Porque eu não conseguiria aguentar pensar em você dançando com um outro alguém vestindo essa saia.

Ele esbarrou a mão na minha coxa, e todo o calor de antes voltou com tudo.

— Garrick, para! Alguém vai ver! E se a Kelsey voltar?

— Com base no showzinho que vocês duas fizeram antes, eu não vejo isso acontecendo tão cedo.

Eu me encolhi. Talvez eu tivesse sido um pouco megera.

— Venha.

Ele se levantou e me ofereceu uma das mãos. Olhei ao redor, com medo de segurar na mão dele. Estava muito escuro. Se houvesse alguém que conhecíamos aqui, não teríamos como saber a menos que ficássemos cara a cara com a pessoa. Estávamos nos arriscando muito.

— Pare de pensar tanto assim — ele me disse e colocou um dos braços em volta da minha cintura, me fazendo deslizar para fora do meu assento. A pele desnuda das minhas coxas soltaram um ruído que parecia um guinchado, coisa embaraçosa, mas ele não pareceu notar ou se importar com isso. Ele entrelaçou nossos dedos e me puxou para o meio da multidão.

Mantive a cabeça baixa, me concentrando em colocar os pés onde os dele tinham acabado de estar. Ele me conduziu uns degraus mais abaixo, até um nível inferior, onde, de algum modo, era ainda mais escuro, e os corpos das pessoas estavam pressionados e apertados, bem juntos. Eu não conseguia ver ninguém além da pessoa que estava bem perto de mim. Ele passou em meio a todos eles e me puxou, até que estávamos no canto mais afastado, e então ele me puxou para ficar entre ele e a parede. Ele estava de costas para o restante da sala, e sua compleição alta me cobria por completo.

O seu hálito fez cócegas na minha orelha enquanto ele sussurrou:

— Melhor?

Assenti. Estava melhor. Quero dizer, nós ainda estávamos em uma casa noturna e eu teria preferido estar em casa, mas essa já era a melhor experiência em uma casa noturna que eu havia tido na minha vida.

Mesmo sabendo como ele se sentia em relação a mim, eu estava nervosa demais para dançar com ele cara a cara. Então eu me virei de forma que minhas costas ficassem pressionadas junto à parte da frente do corpo dele. Ele levou as mãos de imediato até os meus quadris, me puxando para junto dele. A sensação tirou todo o ar dos meus pulmões.

Cerrei os olhos para não tarde encarar a parede e tentei deixar que a música me envolvesse. Lentamente, os quadris dele se inclinaram para a frente e eu acompanhei o movimento dele, empurrando-o para trás. Ele exalou o ar junto à minha orelha, o que me provocou arrepios na espinha. Ele deslizou uma das mãos do meu quadril para a minha barriga. Com os dedos estendidos, seu polegar repousava cerca de uns dois centímetros abaixo do meu sutiã e o seu dedo mindinho trilhava o cós da minha saia. Ele usou aquela mão para me puxar para junto dele ao mesmo tempo em que remexeu os quadris.

Estrelas dançavam atrás dos meus olhos cerrados e as batidas do meu coração emparelhavam-se com o ritmo da música. O corpo dele junto ao meu parecia ampliar o calor da sala que já estava quente, e eu sentia o suor começar a umedecer o meu pescoço. Os quadris dele remexiam-se ao ritmo da música, devagar e com sensualidade, mas, de vez em quando, com uma batida forte da música, os quadris dele empurravam os meus com mais força. Seus lábios tocaram a pele do meu pescoço e eu caía, caía, caía naquela sensação.

Não era o bastante. Será que algum dia eu teria o bastante dele? Estiquei as mãos para cima e atrás de mim, entranhando-as em seus cabelos, e ele murmurou sua aprovação. A mão dele que estava na minha barriga veio para cima, passou de leve pelo meu braço levantado e desceu pela lateral do meu corpo. Ele roçou na lateral do meu seio, e o toque fez com que o meu corpo fosse atravessado por tremores, o que foi amplificado quando os seus dedos passaram pela saia indecente e agarraram minha coxa.

A canção mudou, mas nós, não. As mãos dele continuavam me levando à loucura. Nossos corpos permaneceram fortemente pressionados um no outro. Eu ainda estava com tanto tesão que eu me sentia zonza com o desejo. O mundo inteiro estava girando, e só nós estávamos parados. Ou talvez fôssemos nós que estivéssemos girando. Tudo o que eu sabia era que havia todo o resto das pessoas, e havia nós dois, e eu jamais quis que isso fosse de uma outra maneira.

Ele encontrou aquele lugar debaixo da minha orelha, e eu gemi, feliz porque a música havia engolido o som do meu gemido. Ele mordiscou meu pescoço com os dentes, e eu afundei as unhas no pescoço dele em resposta.

— Meu Deus, Bliss, você faz alguma ideia do quanto eu quero você?

Nossos quadris se remexeram de novo, e eu tinha certeza de que eu tinha uma boa ideia disso. A canção terminou, e eu já tinha tido quase tudo o que eu podia aguentar. Deslizei o celular para fora do meu sutiã, onde eu o havia, convenientemente, enfiado. Garrick gemeu e puxou nossos lábios junto um do outro em resposta, mas eu estava concentrada no meu telefone. Minhas mãos tremiam, mas eu ainda consegui enviar uma mensagem de texto à Kelsey.

Encontrei alguém. Saindo. Dsclp por hj + cedo. A gente se fala amanhã?

Não esperei por uma resposta antes de puxar Garrick em direção à saída.

Para variar, eu não me importei com o quão rápido ele ia com sua moto. Eu apenas o abracei apertado, e tentei desejar que estivéssemos em casa o quanto antes.

Os lábios dele estavam no meu pescoço antes mesmo de eu colocar a chave na porta do meu apartamento. A minha respiração estava tão pesada que isso só podia ser chamado de lufadas. Quando finalmente consegui abrir a porta, eu a empurrei com tanta força que ela bateu com tudo na parede. Amanhã eu teria de me certificar de que não havia um buraco ali. Assim que a porta se fechou, já estávamos nos beijando.

Eu tinha arrancado meus sapatos de salto no percurso entre a moto dele e à minha porta e, agora, sem eles, Garrick ficava longe demais. O pensamento deve ter lhe ocorrido ao mesmo tempo em que pensei nisso, porque suas mãos saíram das minhas coxas e seguraram meu traseiro, me erguendo de modo que eu pudesse envolver minhas perna em sua cintura.

Minhas costas bateram com força na porta, e fiquei ofegante. A língua dele serpeava dentro da minha boca, mergulhando nela e saindo dela, com rapidez e intensidade — exatamente do jeito que eu gostava.

— Cama — arfei, entre beijos.

Ele reclinou-se o suficiente para dizer:

— Você tem certeza?

Em seguida, ele me beijava outra vez, e o ritmo que ele tinha estabelecido era simplesmente tão sedutor e hipnotizante quanto a música lá na casa noturna. Ele me perguntou de novo:

— Bliss, você tem certeza?

Será que eu tinha certeza? Por que ele estava me enchendo de perguntas? Será que ele tinha percebido que eu só queria beijá-lo? Eu queria beijá-lo até que o resto do mundo desabasse.

— Cama — falei de novo.

— Isso não é uma resposta.

Ele se moveu em direção ao quarto mesmo assim. Eu me prendi com firmeza a ele, transferindo meus beijos para seu maxilar, e depois para seu pescoço, de modo que ele pudesse se concentrar em andar. De alguma maneira eu consegui ficar presa nas cortinas. Tipo, literalmente presa.

Meu brinco ficou preso no material fino da cortina, e eu não notei que isso havia acontecido até que continuamos andando. A dor estava lancinante na minha orelha e na lateral da minha cabeça. Eu gritei em resposta.

— O que foi? Eu sinto muito. O que há de errado? O que eu fiz?

— Orelha.

Aparentemente, eu tinha sido reduzida a frases com uma palavra.

— Droga. Não se mexa.

Ele tentou usar as duas mãos para soltar o meu brinco, mas então nós perdemos o equilíbrio e nós dois demos de cara com a lateral da minha penteadeira que ficava logo na entrada do meu quarto. A julgar pela forma como minha sobrancelha estava doendo, eu estaria com um machucado dos infernos amanhã. Eu dei risada, porque, como de costume, minha vida era ridícula.

E, por sorte, foi uma daquelas coisas híbridas que era meio risada e meio bufada. Nós dois demos risada, tentando respirar por um motivo totalmente diferente agora. A lateral do meu corpo estava doendo onde tinha batido na penteadeira. Meu brinco ainda estava preso na cortina, e minhas pernas ainda estavam em volta da cintura dele. Entre risadas, Garrick pressionou um doce beijo na minha testa.

Talvez ridículo não fosse tão ruim assim.

— Ok, vamos desenroscar você. Eu vou colocar você no chão, ok?

Ele me abaixou com gentileza no chão, e minha pulsação que estava aceleradíssima começou a ficar mais lenta. Ele tentou por alguns minutos me soltar, mas os dedos dele eram grandes e desajeitados. Por fim, eu disse:

— Solta apenas a tarraxa do brinco. Eu o tiro da cortina amanhã.

Rindo, ele fez o que eu pedi.

Porém, antes eu sentia como se eu estivesse pegando fogo com o nosso beijo. Agora, a calidez que se espalhava por mim era diferente, mais doce. Luz de velas em vez de chamas vivas.

Ele esfregou o lugar no meu ombro que havia batido na penteadeira e disse:

— Nós somos meio que atrapalhados.

Apertei um dedo no outro e disse:

— Um pouquinho.

Ele colocou a mão em volta do meu pescoço, pressionando um outro beijo na minha testa. Cerrei os olhos, pensando que isso parecia ser a perfeição.

— Acho que a cortina nos fez um favor. Suas pernas naquela saia quase mataram todo o meu autocontrole.

Eu sorri.

— Eu disse a você que eu nunca deveria ter usado aquela saia.

— Ah, definitivamente estou feliz porque você usou aquela saia. É uma recordação que eu vou nutrir por um bom tempo. — Eu dei um tapa no braço dele, mas não me incomodei com o seu sorriso atrevido. Ele disse: — Provavelmente eu deveria ir embora agora, antes que você me faça perder a cabeça de novo.

Eu o soltei, mesmo que uma grande parte de mim estivesse gritando em protesto. E, quando ele se foi, eu celebrei muito da mesma forma que agi quando soube que tinha conseguido o papel de Fedra.

Eu dancei.

Porque... finalmente... as coisas estavam dando certo.

CAPÍTULO 21

As coisas estavam *tão* erradas!

A primeira leitura de *Fedra* foi um desastre de proporções épicas. Até mesmo depois de duas semanas, Cade não falou nada comigo antes de começarmos, e parecia que todo mundo no elenco estava do lado dele, com base nos olhares de ódio que eu recebia. E, embora as leituras tendessem a ser um pouco insossas, visto que todo mundo estava sentado em volta de uma mesa, essa estava pior do que uma pizza guardada havia uma semana.

De vez em quando, Eric balançava a cabeça em negativa, e eu praticamente podia vê-lo pensando: *O que aconteceu com as pessoas que escolhi para o elenco na semana passada?*

Cada cena ficava pior que a outra, como um parafuso seguindo para o ângulo errado, mas nós apenas continuávamos seguindo em frente, tentando fazer funcionar algo que claramente não daria certo.

Quando acabou, eu me senti esvaziada. Eu tinha ficado tão animada com essa peça! Vinha esperando por algo assim desde meu ano de caloura, e agora, estava ali e estava insuportável.

Eric fingiu um pouco de otimismo, dizendo que as coisas ficariam mais tranquilas no palco. Não acho que alguém tivesse acreditado nele.

E, se alguém acreditou nele, essa esperança equivocada definhou quando tivemos o nosso primeiro ensaio no palco, o qual, se é que é possível, foi até mesmo pior. O desconforto entre mim e Cade parecia ter permeado todo o elenco, até que todos estivessem duros e tensos.

As aulas não foram muito melhores.

Cade permaneceu longe de mim, e Kelsey ainda estava com raiva, de modo que eu estava invalidando aquela citação de que "nenhum homem é uma ilha". Eu estava totalmente sozinha.

Exceto pelo Garrick.

Eu estava aterrorizada com a intensidade dos meus sentimentos por ele. As coisas estavam boas demais. Nada na vida era assim tão incrível, pelo menos, não na minha. Ele me parou depois da aula de Preparação Sênior na manhã da quarta-feira.

— Bliss, espere um segundo.

Juntei minhas coisas devagar, esperando que todo o resto do pessoal saísse do laboratório de computadores. Quando estávamos sozinhos, eu perguntei:

— O que foi?

Ele sorriu.

— Nada.

Então ele me pressionou junto à mesa do computador atrás de mim e me beijou. Fiquei ofegante por causa do choque, e a língua dele invadia minha boca como se fosse uma tempestade. Eu não fiz nada além de piscar, e então ele me ergueu para cima da mesa, com os quadris encaixados entre minhas coxas abertas, e sua boca ardia junto à minha.

Não havia nenhuma lentidão nesse beijo. Era frenético, um momento roubado, e eu estava me revolvendo com o desejo. Eu me prendi a ele, certa de que estava prestes a despedaçar nos braços dele, e então ele recuou.

Eu tive que me concentrar em respirar durante vários longos segundos antes de até mesmo de ficar enfurecida. Dei um tapa no bíceps dele:

— Você está maluco? No que você estava pensando? E se alguém entrasse?

Eu o empurrei para alguns metros de distância de mim, e desci da mesa em um pulo, com as pernas inseguras encostando no chão.

— Eu estava pensando que você estava sexy demais para tão cedo assim pela manhã.

Endureci o meu olhar enfurecido:

— Eu estou falando sério, Garrick.

— Eu também estou — disse ele. Ele me pegou pelo cotovelo e me puxou para o canto mais afastado da sala, onde não poderíamos ser vistos da porta, e saberíamos se alguém entrasse. — Quando se trata de você, Bliss, eu falo muito sério.

Ele estava deixando implícito o que eu acha que ele estava deixando implícito? A expressão em seus olhos era perigosa. Eu não conseguia pensar direito quando ele estava assim tão perto de mim. Ele tentou me puxar para mais um beijo, porém, mesmo fora do campo de visão da porta, eu estava assustada demais, com muito medo. Eu me sentia como naquela nossa primeira noite juntos na minha cama, tudo de novo. Isso era comigo? Eu estava pronta para uma coisa dessas?

Virei a cabeça, e os lábios dele se depararam com meu pescoço em vez da minha boca. Tudo estava simplesmente tão confuso. Como eu poderia querer tanto uma coisa e não a querer ao mesmo tempo? Uma parte minha queria envolvê-lo com meus braços e rezar para que seus lábios nunca deixassem minha pele. E uma parte minha queria sair correndo e gritando na outra direção. A segunda parte venceu. Eu me puxei para fora de seu abraço e ergui uma das mãos para impedi-lo de me seguir.

— Eu não posso, preciso ir. Quero tentar encontrar o Cade antes do ensaio hoje à noite, e ver se conseguimos resolver as coisas entre nós.

Então eu saí voando do laboratório, com a pele ainda ardendo por causa do seu toque.

Cade já tinha ido embora na hora em que eu cheguei ao camarim, e eu não consegui pegá-lo sozinho pelo restante do dia. Pensei em pedir para conversar com ele antes do ensaio, mas todo mundo estava em volta, me encarando e, para falar a verdade, eu simplesmente não tinha energia para isso.

Porém, isso queria dizer que nosso terceiro ensaio começou tão fraco quanto o resto. Eric, que não fazia a mínima ideia do drama que se desenrolava fora do palco, estava perdido. Acho que ele podia captar que tudo vinha de mim e do Cade, motivo pelo qual ele nos mandou sair. Ele disse que apenas queria passar mais tempo com o coro, mas ainda queria que nós dois ensaiássemos mais um pouco. Então ele nos mandou para um espaço menor no teatro, para que trabalhássemos sozinhos... com o Garrick.

Isso tinha que ser um sinal do apocalipse. Coisas tão terríveis assim só aconteciam quando o mundo estava prestes a acabar.

Invejei a compostura do Garrick. Ele não entregou nada. Eu, por outro lado, era um trem que sofrera uma colisão, só que em forma de gente. Repassamos duas vezes nossa primeira cena. Cade estava sem vida e eu estava de dar dó. Não importava quantas vezes Garrick murmurasse entre as falas: "Acordem!", ou "Intensidade!" ou "Melhorem isso!". Nós ainda estávamos horríveis. Garrick, que sabia do que nós dois éramos capazes, ficava cada vez mais frustrado. Ele nem mesmo se deu ao trabalho de fingir que estava otimista.

— Vocês dois. Tirem um intervalo de cinco minutos.

Eu fui até o banheiro, e borrifei água no rosto. Isso tinha de parar. Se eu conseguia atuar com Dom, com certeza haveria de conseguir atuar com Cade, não importando o quão chateado ele estivesse. Ele era o meu melhor amigo, mas, se eu quisesse ser atriz, teria que aprender a colocar as minhas emoções de lado e pensar nele como se fosse qualquer outra pessoa.

Sentindo-me um pouco melhor, eu voltei para a salinha de workshop. Cade e Garrick já estavam lá dentro conversando.

— Eu sei que está rolando um lance pessoal entre vocês dois, mas vocês têm que superar isso — disse Garrick.

— Eu estou tentando. Não é tão simples assim.

Garrick estava de costas para mim, mas eu podia ver o rosto do Cade, pálido e amarrotado como um pedaço de papel que houvesse sido descartado. Eu me engasguei, desejando que tudo isso estivesse acabado, ou que nunca tivesse acontecido.

— Você não está tentando o suficiente. Então, ela não sentia o mesmo que você. É a vida.

Fiquei de queixo caído. Como ele podia ser tão insensível? O Garrick, que havia sido tão doce e compreensivo quando eu fui até ele falar sobre essa mesma briga?

— Acontece. Você tem que crescer. Você é um ator ou não é? Você não pode deixar que os seus sentimentos por ela ditem a sua vida.

A minha boca ficou seca, e um nó se formou na minha garganta.

Empurrei a porta, abri o tanto que faltava, e disse:

— Já chega!

O tom acalorado na minha voz me surpreendeu, mas eu não devia ter ficado surpresa. Eu odiava ver Cade ferido, e *finalmente* não era apenas eu quem estava sendo a causa disso. As palavras do Garrick haviam se embrenhado na minha pele, corroendo-a, e minhas mãos tremiam de raiva.

Cade parecia horrorizado em me ver.

Garrick não parecia nem um pouco culpado, o que só aumentou o ardor da minha raiva. Caminhei, até ficar parada entre os dois, bloqueando Cade do campo de visão do Garrick.

— Isso não é da sua conta — eu disse ao Garrick.

Ele se virou na minha direção, e o seu rosto inteiro pareceu se contrair junto com seu cenho franzido.

— É da minha conta quando vocês dois trazem problemas externos para o ensaio.

Eu sabia, é lógico. Sabia que ele estava certo. E sabia que ele era meu professor, e que esse era o trabalho dele, mas o tom de julgamento em sua voz me cortou mesmo assim.

E eu queria dar o troco e cortá-lo também.

— Provavelmente você está certo — eu disse. — Relacionamentos não têm lugar aqui. É uma má ideia misturá-los, você não acha?

Ele estava tão calmo, o que fez com que eu quisesse chacoalhá-lo. Eu queria afundar meus dedos no ombro dele e empurrá-lo e puxá-lo...

— Bliss, você não está sendo profissional.

— *Eu não estou sendo profissional?* Ah, isso é esplêndido, vindo de você!

— Eu e você podemos conversar sobre isso depois.

A mão dele encostou no meu cotovelo, e eu odiei que, mesmo com raiva, o seu toque deixasse os meus joelhos fracos. Eu me afastei dele.

— Eu não *quero* falar disso depois! Eu só quero que você faça a direção. Quero que você fique fora do meu problema com o Cade. Está me ouvindo? Está me entendendo? Fique fora disso. Isso é *tudo* o que eu quero de você.

Por fim, algo na expressão calma dele rachou. Seu maxilar ficou cerrado e, por um segundo, ele fechou bem os olhos. A sensação não era tão boa quanto eu imaginava agora e eu via que ele fora afetado. E já queria retirar o que havia acabado de dizer.

— Certo. — Ele jogou as mãos para cima e repetiu. — Certo. Como diretor, eu digo que vocês dois têm que resolver as merdas de vocês antes do próximo ensaio, a menos que queiram que nós comecemos a procurar outros atores em meio aos colegas de vocês dos primeiros anos. Vocês dois estão dispensados.

A porta bateu com tudo quando ele saiu, e eu ouvia o eco dela repetidas vezes na minha mente. Eu era tão estúpida! Isso era TÃO estúpido!

Eu quase tinha me esquecido por completo de que o Cade estava lá até que ele disse:

— Minha nossa, Bliss. Ele é o cara?

Eu poderia ter negado. Eu poderia ter contado a história inteira ao Cade. Poderia ter saído correndo. Mas eu me sentia oca demais para me mexer. Caí de joelhos, envolvendo a minha própria cintura como se isso, de alguma forma, fosse me manter inteira, como se, caso eu me abraçasse com força o bastante, a dor não conseguiria entrar em mim.

Mas ela entrou.

E os espaços vazios em mim de repente estavam cheios das palavras das quais eu me arrependia e da vergonha que eu sentia e da ausência dele. Não havia nada mais a ser feito a não ser chorar.

O choro fluía de mim, lento e constante, erguendo-se como a maré, lavando e levando embora tudo o que eu tinha amado em relação ao tempo em que passamos juntos.

Senti a mão de alguém encostando no meu ombro, e me virei, esperançosa.

Era Cade.

Devagar e cheio de incerteza, ele se ajoelhou a meu lado e me tomou em seus braços. Fiquei hesitante por um momento, sabendo como ele se sentia em relação a mim, sabendo o quão difícil isso deveria ser para ele, sabendo que, como de costume, ele era bom demais para mim.

Então eu não consegui mais resistir. Eu já estava sendo egoísta, que mal faria...?

Eu me escondi nos braços dele e soltei. Foi o grito mais feio da história de todos os gritos feios, mas eu não estava nem aí pra isso. Porque a minha capacidade de arruinar coisas boas não tinha limites.

— Está tudo bem — me disse Cade. — Não foi tão ruim assim.

— Não foi tão ruim assim? — Esfreguei os olhos e as minhas mãos ficaram borradas de preto. — Talvez em comparação com o holocausto. Mas em termos de fim de relacionamento? Eu acho que foi bem ruim.

Ele ficou rígido.

— Vocês dois estavam juntos? Tipo, juntos *de verdade*?

— Durante algumas semanas, tecnicamente, antes de eu arruinar tudo.

Meu Deus, não era de se admirar que eu fosse virgem. Eu deveria ter quebrado um mundo inteiro de espelhos em uma vida passada.

Apesar de todas as adversidades, Garrick gostava de mim de verdade. Apesar de eu ter fugido dele durante o sexo com uma desculpa terrível. Apesar de eu ainda não ter dormido com ele. Apesar de eu ser uma droga de uma desajeitada. Ele gostava *de mim.* Comecei a soluçar e chorar de novo, porque isso não era justo.

— Você gosta muito dele, não gosta?

Lutando para conseguir respirar, assenti.

— Gosto. Eu sei que isso é loucura. Sei que isso é idiotice. Mas, mas... nós nos conhecemos antes que ele fosse nosso professor, e eu não consigo simplesmente desligar isso. Eu tentei. Nós tentamos. Acho que vou *ter* de desligar isso agora.

Cade me embalou para a frente e para trás, e mesmo que isso fosse legal, fazia com que eu me sentisse jovem e imatura. Não profissional, exatamente como tinha dito o Garrick.

— Ele vai perdoar você — disse Cade. — Eu perdoaria.

Eu queria perguntar se isso queria dizer que Cade me perdoava agora, mas estava com medo demais. Então permaneci nos braços dele, chorando e calada, apenas para o caso de este ser apenas um indulto temporário, apenas no caso de isso ser tudo o que eu teria.

Na hora em que deixamos o estúdio, o ensaio tinha acabado, e todo o resto do pessoal tinha ido embora. Ele foi andando comigo até lá fora, até meu carro, e eu comecei a nutrir esperanças... a ter esperanças de que talvez as coisas estivessem bem entre nós dois. Ele não me beijou na bochecha, como teria feito antes. Cade colocou a mão no meu ombro. E embora isso fosse diferente, era o bastante.

— Vai ficar tudo bem — disse ele.

E eu esperava que ele estivesse se referindo a tudo... a nós dois, ao Garrick, à vida.

Eu precisava que tudo ficasse bem.

CAPÍTULO 22

Pensei em ir até o apartamento do Garrick assim que cheguei em casa, mas a verdade seja dita: eu estava com medo. E era muito mais fácil lamentar por mim mesma. Eu tinha um pote de sorvete de cookie com pedaços de chocolate no meu freezer esperando por essas ocasiões. Teria sido legal dividi-lo com Kelsey, mas eu não podia me dar ao luxo de partilhar meu segredo com uma outra pessoa, e não era egoísta o bastante a ponto de fazer com que o Cade testemunhasse mais uma das minhas sessões de automisericórdia. Ele me prometeu que não contaria a ninguém e acreditei nele.

Eu me sentei na ponta do meu sofá, olhando para Hamlet, que estava estirada na outra ponta. Eu me perguntava se ela poderia me confortar. Ela havia sido legal comigo uma única vez em um outro momento triste, então talvez eu tivesse uma chance. Estiquei a mão na direção dela e fui recebida não só com o seu rosnado costumeiro, mas com um sibilar também.

Claramente ela estava do lado do Garrick.

Pensei em ir até ele mil vezes, talvez mil e uma. Mas eu tinha que encarar isso: desde o começo, ele era muita areia para meu caminhãozinho! Ele teria se cansado de mim em algum momento, assim que passasse o efeito do fator "proibido". E eu não posso nem mesmo começar a contemplar o que poderia ter acontecido se tivéssemos sido pegos. Só de pensar nisso, eu sentia uma onda de adrenalina passando pelo meu corpo, como quando ele havia me beijado no laboratório para que qualquer um pudesse ver. Talvez eu estivesse fazendo um favor a mim mesma, cortando nossas ligações agora. Quero dizer, isso era um saco, sete bilhões de vezes um saco, mas teria sido pior depois de mais tempo.

Em meu iluminado e silencioso apartamento, no meu estado de confusão mental induzido pelo sorvete, eu podia admitir que estava me apaixonando por ele. Nosso "ai, tão breve" relacionamento tinha sido como passar um dia sob a luz do sol quando se viveu a vida inteira no subsolo (sendo o meu antigo eu a toupeira nessa história). Talvez aquilo fosse tudo o que teríamos em se tratando de relacionamentos como aquele: lampejos da luz do sol. Talvez fosse brilhante demais para ser sustentado por qualquer período estendido de tempo. Talvez eu devesse ser grata.

Eu não me sentia grata. Eu me sentia miserável (e cheia de sorvete).

Na quarta-feira nós estávamos no laboratório outra vez, e ele nunca ultrapassava um metro do meu espaço de trabalho. No ensaio, naquela noite, ele se sentou na última fileira, tomando notas, e não disse nenhuma palavra em momento algum.

Na quinta e na sexta-feira foi a mesma coisa, embora a atuação nos ensaios tivesse melhorado agora que eu e o Cade tínhamos (meio que) consertado as coisas. Nós não éramos exatamente amigos de novo. Eu não nos via saindo sozinhos em nenhum momento no futuro, mas éramos capazes de conversar sem grandes desastres, e tanto a minha mente quanto a dele estavam claras o bastante para nos concentrarmos na peça.

Eu voltei ao meu estado de toupeira no fim de semana, sem sair do meu apartamento em momento algum, tomando banho apenas quando estritamente necessário. Em qualquer outro fim de semana, Kelsey poderia ter me forçado a sair, mas ela ainda estava um pouco grilada em relação à minha atitude na casa noturna.

Então eu estava praticamente sozinha. Não tinha ninguém além da Hamlet. Que me odiava com o fogo de mil sóis. Passei uma semana inteira em estado de solidão antes de criar coragem para fazer alguma coisa a respeito disso. Passei por lá no horário em que ele trabalhava, com muito medo de confrontá-lo na casa dele ou depois da aula. Quando me aproximei da porta, ele estava ao telefone.

— Eu sei. — Ele estava assentindo, sorrindo. — Eu sei. Muito em breve eu estarei em casa. O que são só mais três meses?

Fiquei paralisada. Grudei na parede do lado de fora da porta dele, e meus pulmões pareciam estar vazios, não importando quantas vezes eu inspirasse.

— Aquilo? Não, eu superei. Não era realmente nada, para início de conversa... apenas inconveniente.

Alguma coisa estava caindo aos pedaços dentro de mim, algo que já era vulnerável e fraco, mas que agora se despedaçava e estilhaçava.

— Eu deveria saber que não valia a pena. Eu sei, mas agora está acabado, e eu realmente não me importo mais, sabe? É, é. Eu vou encontrar um outro lugar para trabalhar. Simplesmente não vale a pena.

Não vale a pena? E eu achando que, até esse momento, eu ainda tinha esperanças, mesmo que tentasse me convencer a não ter. Esperança... uma tremenda filha da puta. Eu não ia chorar. Ele tinha superado isso. Eu também precisava superar. E precisava ter certeza de que ele saberia disso. Se ele estava pensando em largar o emprego para ficar longe de mim, eu tinha que consertar isso. Eu não seria o motivo pelo qual ele iria embora.

Antes que eu pudesse mudar de ideia, estiquei a mão e bati no batente da porta, e avancei pela entrada que estava aberta.

Ele ergueu o olhar e gaguejou, tropeçando no que quer que fosse dizer em seguida. Ele ficou me encarando por um segundo, com o telefone esquecido em sua mão.

Então, por fim, ele piscou e voltou a sua conversa.

— Ei, eu tenho que ir. Eu ligo para você depois, ok?

Eu odiava quem quer que estivesse do outro lado daquele telefonema. Era uma garota? Ele tinha uma namorada lá na Filadélfia? Isso tinha sido só um casinho para ele, só sexo (ou, bem, quase sexo)? Quem quer que fosse falou por mais uns vinte segundos enquanto ele dizia “sim” e “ok” e assentia.

Quando ele desligou o telefone, eu ainda não fazia a mínima ideia do que eu ia dizer. Ele só ficou olhando para mim por um instante e então disse:

— Em que posso ajudá-la, Bliss?

O tom formal dele me deixou constrangida, mas eu tentei copiá-lo da melhor forma que eu podia.

— Eu só queria pedir desculpas pelo meu comportamento durante o nosso ensaio juntos. Eu e o Cade resolvemos nossos problemas...

Ele me interrompeu:

— Eu notei.

Meus pensamentos vacilaram, fugindo por um instante.

— Então... eu, hum, eu prometo que isso não vai acontecer de novo. No futuro, vou manter uma atitude profissional. Não vou levar a minha vida pessoal para o ensaio ou para sua aula.

Ele colocou de lado a caneta com a qual estava brincando e começou a se levantar.

— Bliss...

O que quer que ele fosse dizer, eu não podia ouvir. Se tivesse que ouvi-lo tentar me deixar facilmente para baixo (quando eu sabia que ele não se importava), acabaria chorando e bancando a tola. Então eu o cortei.

— Tudo bem. Eu superei. Não é nada demais, certo?

Ele fez uma pausa e eu tive certeza de que ele sabia que eu estava mentindo, certamente ele podia ver meu estômago revirado, meu coração sendo torcido. Eu queria que ele acreditasse em mim.

Eu estou bem. Superei isso. Eu estou bem. Bem. Bem.

— Certo — disse ele, por fim.

Inspirei com voracidade.

— Ótimo. Obrigada pelo seu tempo. Tenha um bom dia!

Então eu estava do lado de fora da porta, correndo, correndo, descendo correndo as escadas e saindo ao ar livre onde eu poderia engolir o ar e encher meus pulmões até que eu não sentisse mais vontade de chorar.

Daquele momento em diante, ergui muralhas com sorrisos e me fechei com risadas. Fiz as pazes com a Kelsey, prometendo a ela que eu iria dançar sempre que ela quisesse. Eu me joguei com tudo nos ensaios, memorizando todas as minhas falas, uma semana antes da apresentação. Entrei no mês de março obstinada como um soldado, recusando-me a olhar para trás. Eric elogiou meu trabalho nos ensaios, dizendo que ele podia sentir minha vergonha, meu ódio por mim mesma em todas as palavras, que podia ver isso até mesmo na minha postura. Sorri e fingi que estava feliz por ouvir isso.

Comecei a visualizar a formatura, quando eu iria embora sabe-se lá para onde. Talvez eu usasse todo o limite do meu cartão de crédito e fosse viajar com Kelsey. Talvez voltasse para a casa dos meus pais e fosse trabalhar, economizar um pouco de dinheiro. Minha mãe simplesmente *amaria* isso. Talvez eu ficasse aqui, arrumaria um emprego na Target ou algo assim. Eu só tinha que chegar até o final. As coisas ficariam mais fáceis depois. Depois... Eu lidaria com isso. Eu contaria tudo à Kelsey e nós faríamos a dor sumir curtindo baladas. Depois.

Eu mal podia esperar pelo "Depois".

Parecia possível. Parecia que daria para fazer isso.

Até que o "Agora" ferrasse com tudo.

Nós estávamos apenas a uma semana do recesso da primavera, um intervalo do qual eu precisava muito. Na tarde de sexta-feira, nós estávamos no teatro experimental para começarmos os workshops de direção de cena. Todo o departamento estava reunido no teatro: os diretores juniores, petrificados, e todo o resto do pessoal variando do tédio à alegria sádica.

Eu ia levando, desejando que o tempo passasse logo, até que o Rusty se levantou para fazer um anúncio antes da primeira cena.

Ele pigarreou, estava notavelmente sério em se tratando do Rusty.

— Então... eu fui ao médico ontem...

— Você está grávido? — alguém gritou lá de trás.

— Não — ele sorriu, embora tivesse sido um leve sorriso. — Para falar a verdade... eu estou com mononucleose infecciosa. — Seguiu-se uma batida de coração antes de a notícia ser absorvida. — O médico disse que o período de incubação é de entre quatro a oito semanas, o que quer dizer que eu podia estar com isso desde janeiro ou fevereiro. Então... vocês poderiam querer tomar cuidado em relação a beberem no copo de outras pessoas e... outras coisas.

Janeiro ou fevereiro. A festa. Eu havia beijado o Rusty naquela festa. Todos nós tínhamos beijado... todo mundo.

Por instinto, meus olhos procuraram os outros membros daquele jogo de girar a garrafa, cujas expressões estavam tão ansiosas e tão temerosas quanto a minha. Se o Rusty já estava contagioso naquela época, isso queria dizer que eu já estava contagiosa naquela época, o que queria dizer que eu estaria com mononucleose infecciosa, junto com Cade, Kelsey e Victoria, e todas as pessoas naquela festa.

E Garrick.

Droga.

CAPÍTULO 23

Fui falar com ele assim que as cenas terminaram. Os atores corriam de um lado para o outro, ainda em seus figurinos. Professores parabenizavam seus alunos, e todo mundo gravitava na direção de seus grupos, fazendo planos para o fim de semana. Todo o resto do pessoal parecia calmo e feliz, e eu sentia como se o mundo estivesse acabando. Caminhar em direção ao Garrick estava pau a pau com entrar em uma sala cheia de antraz.

Mas eu fiz isso mesmo assim.

Por sorte, ele não estava conversando com ninguém, apenas checando alguma coisa em seu celular. Fiquei parada, em pé atrás dele por alguns instantes. Só de estar perto assim dele, isso me afetava. Realmente era como um veneno. Inspirei a presença dele, e pude sentir que ela estava trazendo abaixo as muralhas e a proteção que eu havia construído.

Eu não sabia se tinha feito barulho ou se ele sentiu a minha presença atrás dele, mas ele se virou e olhou para mim. Por uma fração de segundos, achei que ele abriria um sorriso. Então a expressão no rosto dele mudou, e ele ficou desconfiado. Como se não confiasse em mim. Então não havia expressão em seu rosto.

Eu tinha todas essas emoções e lembranças empurrando minhas barricadas, tentando vazar para fora. Parecia que ele não ligava a mínima pra nada disso.

Eu queria cuspir a notícia e sair correndo, mas sabia que isso era uma má ideia. Não é exatamente normal avisar seu professor de faculdade que você poderia ter passado mononucleose para ele.

— Nós podemos conversar... em particular? — perguntei a ele.

Ele olhou ao redor da sala, e eu podia imaginar aonde iam os olhos dele. Provavelmente, na direção do Eric. Talvez do Cade. Ou do Dom. Para o que quer que fosse que ele estivesse olhando, ele permaneceu focado lá enquanto dizia:

— Não acho que isso seja uma boa ideia, Bliss.

É, eu acho que as minhas boas ideias haviam se esgotado fazia um bom tempo.

— Não vai levar muito tempo — prometi.

Finalmente ele olhou para mim. Eu queria acreditar que via brandura em seus olhos, mas eu podia ter imaginado isso. Eu fazia isso o tempo todo. Tudo que tinha de fazer era cerrar os olhos e eu seria capaz de vê-lo vindo até mim, seus lábios a milímetros dos meus. No entanto, sempre... eu sempre abria os olhos e isso não era real.

Senti a mão de alguém se curvar no meu ombro e me envolver em um abraço. Era o Eric. Ele começou a falar sobre ensaios e figurinos e o recesso da primavera e todas essas coisas para as quais simplesmente não tinha lugar na minha cabeça.

Olhei para Garrick, sorrindo para o chefe dele. O sorriso dele estava tenso, ele sorria com os lábios fechados. Quando foi a última vez que vi aquele largo e maravilhoso sorriso dele?

Talvez eu nem tivesse que contar isso a ele. Quero dizer, eu nem mesmo estava doente...

Não era como se ele tivesse dado uns amassos em mais alguém daquela festa (assim espero). E, se eu nunca ficasse doente, ele nunca precisaria saber. Além do mais, estava claro que ele queria simplesmente esquecer que nosso casinho sequer tinha acontecido. Quero dizer, ele havia falado em trocar de emprego, pelo amor de Deus! E, sempre desde então, eu havia tomado cuidado para não olhar para ele por tempo demais, e nem ficar perto demais dele e nem dar nenhuma indicação de que eu não havia superado isso como havia acontecido com ele. Porque, por mais ruins que as coisas estivessem, seria infinitamente pior se ele se fosse por completo.

É. Eu contaria a ele se tivesse de fazer isso. Não era necessário trazer isso à tona se não fosse, na verdade, um problema.

Pedi licença, e me despedi tanto do Eric quanto do Garrick. Então eu voltei a fingir. Pelo menos, eu fazia bom uso do que havia estudado, mesmo que eu não conseguisse nunca fazer mais nada com isso. Isso me ensinou como mentir.

* * *

No último dia de aula antes do recesso da primavera, acordei exausta e estava tão frio que vesti um suéter para ir a aula do Garrick, mesmo que fosse primavera no Texas. Estava bem óbvio, ou deveria estar, mas eu estava tão preocupada em sobreviver àquele dia e chegar logo no recesso que coloquei a minha inquietação de lado.

Garrick deixou que saíssemos mais cedo, porém, não sem antes dizer:

— Desculpem-me por ter passado lição de casa para vocês no recesso, mas quando vocês voltarem, eu quero um plano definitivo para o que vão fazer no dia 23 de maio que, para aqueles dentre vocês que não olham no calendário, é o dia seguinte à sua formatura.

Dom falou, rindo baixinho, atrás de mim:

— Ficar bêbado desde a noite anterior conta como um plano definitivo?

Eu nem mesmo tinha energia para revirar os olhos.

— Verei alguns de vocês essa noite no ensaio, e o restante, tenham um ótimo recesso de primavera! Não sejam presos e nem se casem e nem façam nada do tipo! Aproveitem o restante do dia.

Acho que houve aplausos, mas minha cabeça parecia um pouco confusa. Juntei minhas coisas, e decidi que realmente não precisava assistir ao restante das aulas hoje. Deveria ir para casa e tirar um cochilo. Um cochilo parecia uma boa ideia. Eu ficaria bem depois de ter dormido um pouco mais.

Eu me senti zonza enquanto cambaleava em direção à porta.

Eu não havia percebido que todo mundo já havia ido embora até que estava sozinha com Garrick e ele me perguntou:

— Você está bem, Bliss?

Assenti. Parecia que a minha cabeça estava cheia de algodão.

— Só estou cansada — eu disse a ele. Eu estava coerente o suficiente a ponto de me certificar de que minha resposta era cuidadosamente neutra, nem carente e nem odiosa. — Mas obrigada, tenha um bom recesso!

A minha voz soava bem distante, e foi preciso toda minha concentração para sair pelas portas e chegar até meu carro.

A viagem de carro de volta para casa foi um mistério. Definitivamente eu fui dirigindo o carro, mas não conseguia me lembrar das ruas e nem mesmo de ter virado o volante, mas então, eu estava na frente do meu apartamento, tão perto da minha cama.

Eu queria cair direto nela, mas minha necessidade neurótica de pendurar um calendário ao lado da minha cama me fez lembrar de que eu tinha ensaio essa noite. Coloquei o despertador para as cinco da tarde, de modo que eu teria tempo de preparar o jantar de antemão, e outro para cinco minutos depois, para o caso de eu acabar desligando o primeiro sem querer. Então desmoronei na cama à minha volta, e caí de cabeça no esquecimento.

Minutos depois, o mundo estava gritando e os gritos eram tão altos que eu tentava pressionar as mãos nas orelhas, mas minhas mãos estavam mortas, sem vida nas laterais do meu corpo. Engoli em seco, e a minha língua parecia feita de arame-farpado, a minha garganta ardia como lábios rachados.

O ato de me virar era parecido com o de mover montanhas. O relógio marcava 17h45. Pisquei e li aquilo de novo: 17h45.

O mundo ainda estava gritando e, finalmente, *finalmente,* ergui as mãos e apertei o botão do meu despertador até que o barulho parou.

Engoli em seco novamente, mas minha língua parecia grande demais. A minha saliva queimava como ácido descendo pela minha garganta.

Estupefata, olhei para o relógio de novo. Eu não tinha tempo. O ensaio começaria dentro de quinze minutos. De alguma forma... eu realmente não sei... eu me empurrei para fora da cama.

As minhas pernas tremiam como se o chão fosse um barco, e debaixo dele estivesse o oceano. Havia coisas que eu precisava fazer... Eu sabia disso, mas não conseguia pensar além daquela sensação incômoda de que havia alguma coisa que eu não estava percebendo. E estava tão frio, onde estava o meu casaco? Eu precisava do meu casaco.

Envolta nas coisas mais quentinhas que pude encontrar, eu me lancei para fora, em direção a meu carro. O mundo virou por um segundo, como uma criança que se recusava a ficar parada. Estiquei uma das mãos para me equilibrar, mas não havia nada lá para me segurar. Tombei para o lado. Eu não caí, mas mal consegui me segurar. Fiquei fitando o chão; eu só estava cansada demais. Será que seria tão ruim assim ficar ali? No chão?

Mas estava tão frio. Eu realmente deveria ir para dentro se eu fosse me deitar... ou entrar no meu carro. Será que eu tinha um tempinho para dar uma cochilada dentro do meu carro?

Balancei a cabeça, tentando fazer com que a névoa sumisse, e algo horrível se debatia dentro do meu crânio. Doía. Meu Deus, como doía! Pressionei o meu crânio com as mãos, tentando entender o porquê, e engoli em seco de novo, o que também doía. Tudo doía. Tudo.

Não conseguia mais ficar em pé. Ficar em pé era difícil demais. Eu estava quase no chão, esticando a mão para tocá-lo, pensando que o asfalto seria quentinho junto à minha bochecha quando alguma coisa se enganchou por trás em mim.

Continuei esticando a mão, mas fui pega, como um peixe pendurado em uma linha de uma vara de pescar.

Comecei a chorar porque minha cabeça estava latejando e minha garganta estava travada, como se fosse feita de ferro. Eu ainda queria meu casaco, e não queria ser um peixe, e eu queria dormir.

Dormir.

Alguém me dizia que eu estava bem. O gancho não estava mais lá e meu travesseiro era mais uma vez meu suporte, e eu devia ter sonhado. Dormir.

Dormir, talvez sonhar.

***

Algo zumbia. Pensei em abelhas. Eu estava voando com abelhas.

— ... ficar bem. Não sei dizer o quão mal ela está, mas definitivamente ela está com febre. Ela não está nem um pouco coerente. Mononucleose, é. Será que eu deveria levá-la para o hospital? Você tem certeza? Você tem certeza. Ok. Sim. Tchau.

Estiquei uma das mãos. Havia muitas palavras. Abelhas não deveriam conversar. Aquilo não fazia sentido. Onde é que eu estava?

— Onde?

Soltei um gemido então, "au", porque tudo ainda doía, até mesmo depois de dormir. Minha mão tinha encontrado alguma coisa. Ou alguma coisa tinha encontrado minha mão. E era cálida. E eu estava congelando. Suspirei. A calidez encontrou minha bochecha e me empurrei para dentro dela, querendo mais.

— Tão frio... — eu falei para a calidez.

E então a calidez me respondeu, baixo e com suavidade:

— Eu não sei o que fazer.

Agarrei a calidez que segurava meu rosto e pedi:

— Mais.

Então a calidez se foi, mesmo que eu tentasse me segurar a ela. O ar foi soprado por mim, e eu estava tremendo, tremendo, tremendo. Chorei e as lágrimas pareciam rios de gelo.

— Frio — falei.

Engoli as lágrimas, mas me senti pior assim, em vez de melhorar. Eu odiava isso. Eu queria que isso tivesse terminado. Por favor. Por favor. Por favor.

— Por favor.

— Eu estou aqui, amor. Aguente firme.

O mundo caiu, curvou-se para o lado, partido. E me aninhou, me levando com ele, mas em vez de morrer, eu caí na calidez, sólida e forte. Eu me agarrei a ela, querendo estar dentro dela, para fazer com que a tremedeira parasse, para fazer com que tudo parasse.

Era o sol, e ele me segurava em seus braços, me chamava pelo nome, me tocava da testa aos dedos dos pés. Caí no sono aninhada no céu nos braços de uma estrela.

* * *

Quando acordei em seguida, a minha cabeça estava clara o bastante para que eu soubesse que eu estava doente. Eu tinha de respirar pelo meu nariz porque a minha garganta estava inchada demais, delicada demais para aguentar a passagem de ar. Meus músculos doíam e meu estômago parecia oco. Eu ainda estava com frio, mas não estava congelada. Estava derretida. O sono me chamou de novo. Eu ainda estava muito cansada.

Mas eu sabia... eu sabia o que aquilo significava.

Que tinha pego mononucleose no fim das contas.

O que queria dizer que eu teria que contar isso a Garrick. No entanto, isso poderia esperar até que minha cabeça não estivesse explodindo e não parecesse que meus pulmões estavam cheios e minha garganta não estivesse como se em chamas. Tão logo a febre baixasse, eu ligaria para ele.

Eu me mexi, desejando que meus joelhos, cotovelos e ombros simplesmente deixassem de existir porque agorinha mesmo eles não eram nada além de dor. E então, eu sabia que estava sonhando, que a febre tinha rearranjado meu cérebro, porque Garrick estava ali, debaixo de mim, com o peito desnudo no meu travesseiro. Essa febre era cruel. Mas eu sabia que era só porque eu tinha pensado nele. Provavelmente eu ainda estava sonhando.

Garrick estava com os olhos abertos, fixos em mim, apenas me fitando. Não podia ser real.

— Como eu gostaria que isso fosse real — falei, me lamuriando, antes de ceder ao sono novamente.

Dormindo. Dormindo.

* * *

Quando acordei de novo, os calafrios haviam cessado, e eu estava sozinha. Mesmo sabendo que tinha sido um sonho, pressionei o rosto no meu travesseiro, desejando que não tivesse sido apenas um sonho. Eu não tinha notado isso até agora, ou talvez apenas não tivesse admitido isso, mas até mesmo agora eu estava caidinha pelo Garrick. Talvez eu nunca tivesse deixado de "cair". Talvez eu nunca tivesse parado de "cair". Todas as lembranças e fantasias me puxavam mais para o fundo em meu desejo por ele. Embora ainda estivesse exausta, dessa vez tive que me esforçar para voltar a dormir.

— Bliss, acorda. — Não havia se passado tempo algum. Devia ser um sonho. — Você precisa tomar uma coisa. Acorda.

Tentei virar para o outro lado, rastejar ainda mais a fundo no sono, mas alguma coisa me puxava, e eu estava me sentando direito, contra a minha vontade. Alguma coisa empurrava minhas costas, recusando-se a me deixar deitar, então, em vez disso, eu me inclinei meio de lado.

Minha cabeça se deparou com algo sólido. Eu não estava deitada, mas chegava bem perto disso. Cerrei os olhos.

— Ah, não, não! Tome isso primeiro. Depois você pode dormir.

Eu estava dormindo. Pelo menos achei que estivesse. Deve ter sido porque, do nada, uma xícara apareceu nas minhas mãos. Estava quente, quase tão quente como as outras mãos que envolviam as minhas.

O cheiro era maravilhoso, e eu deixei que a xícara fosse empurrada para junto dos meus lábios.

Sopa.

Noodles de galinha, talvez. Era salgado e quente, mas era muito difícil de engolir. Empurrei a xícara para longe.

— Por favor, amor. Estou preocupado com você. Eu não gosto de ficar preocupado com você.

Eu conhecia essas palavras, e era cruel que meu subconsciente as imitasse como um papagaio para mim agora, quando ele não mais estava nem um pouco preocupado. Ergui o olhar e lá estava ele, talvez ainda mais perfeito no meu estado onírico do que na vida real. Ele era o sol. Ele sempre tinha sido o sol — reluzente e brilhante.

Isso era demais. Eu estava machucada por dentro e por fora.

— Eu sinto a sua falta — eu disse ao meu sol. — Eu fui tão idiota. E agora, perdi a luz.

Ele não disse em resposta que sentia a minha falta. Ele não disse nenhuma das coisas que eu queria dele. Ele me disse:

— Toma, Bliss. Nós vamos conversar quando você estiver bem.

Fiz o que ele pediu porque estava cansada demais para brigar, cansada demais para fazer com que eu mesma encarasse a fantasia. Devagar, sorvi o líquido, inclinando a cabeça para trás e deixando que o líquido deslizasse goela abaixo de modo que eu não tivesse que me esforçar tanto para engolir. Na metade da xícara, eu não aguentava mais. Empurrei-a para longe, e ele deixou que eu fizesse isso.

— Agora você pode dormir. Durma, amor.

Caí para trás, de encontro aos travesseiros, mas fui apanhada por alguma outra coisa, pelo medo. Eu temia perder esse... esse espaço em sonho entre mundos onde eu não arruinara nada. Talvez Cade fosse o próximo a chegar, e depois, Kelsey. E, por um tempinho, minha vida poderia ser simples de novo.

O Garrick dos meus sonhos roçou a mão na minha testa.

— Eu acho que você já está quase sem febre. Isso é bom. Você estará se sentindo muito melhor pela manhã.

Franzi o cenho.

— Isso quer dizer que eu vou ter que ligar para você em breve.

— Ligar para mim?

— Para lhe dizer que pode ser que você fique doente também.

Ele inclinou a cabeça de lado. Por que ele não entendia?

— Você não acha que eu já sei?

— Não você. Você não é real.

— Não sou?

— O verdadeiro Garrick não estaria aqui.

Eu me enrolei no meu travesseiro, desejando que esse sono tivesse um fim.

Não era mais legal. Não era real. Nós não estávamos fazendo nada um com o outro... não mais.

Porém, o Garrick dos meus sonhos continuava ali, com a mão nos meus cabelos, e eu me permiti acreditar nisso, por mais um tempinho.

CAPÍTULO 24

Por volta das quatro horas da manhã, acordei em meio a uma poça de suor, meu corpo colado nos lençóis e meu rosto colado na cama.

Acho que a febre tinha definitivamente baixado.

Coloquei as mãos na cama para me empurrar para cima, no entanto, o meu equilíbrio devia estar ruim. Minha cama parecia irregular. Estiquei a mão para trás, tateando em busca do abajur, e acendi a luz. Então, porque eu achava que estava vendo coisas, apaguei e acendi a luz de novo. Eu me belisquei. Eu me belisquei *realmente* com força. Mas nada mudou.

Garrick definitivamente estava dormindo na minha cama.

Merda.

Merda!

Quanto do meu sonho induzido pela febre era real? Eu me sentia segura em presumir que o tempo em que passei sendo abelha era ficção, assim como alguns animais mitológicos que eu jurava que tinha visto. Depois eu havia vivido no sol com alienígenas.

Mas Garrick estava na minha cama. Definitivamente ele esteve nos meus sonhos, mas tudo aquilo não podia ser real. Algumas vezes ele passava voando, na maior parte do tempo, ele estava nu. E havia mais uma dezena de momentos, alguns indistintos, alguns muito claros. O que havia realmente acontecido? Que inferno, será que até mesmo isso era real? Talvez eu apenas estivesse sonhando que minha febre tinha abaixado. Eu estava surtando, e antes que tivesse o bom senso de formular um plano, eu já o estava chacoalhando para acordá-lo.

Ele estava com a visão turva e bonito como sempre. Eu fiquei impressionada por um instante com o fato de ele estar dormindo no meu travesseiro.

Ele estava na minha cama. Comigo!!!

Dormindo.

Nós estávamos dormindo *juntos!*

— Você está acordado.

Meu Deus, desde quando grogue e maravilhoso ficavam tão bem juntos? De olhos arregalados, eu assenti, não tendo pensado no que diria quando ele estivesse acordado de verdade.

— Como você está se sentindo?

Isso eu podia responder.

— Uma merda. Tudo dói. A minha garganta é o pior.

Ele esticou a mão e colocou-a na minha coxa. Como se isso fosse normal. Como se nós colocássemos nossas mãos nas coxas um do outro o tempo todo.

— Isso é normal, eu acho — disse ele.

O lance da coxa? Não, não... a minha garganta. Ele continuou a falar:

— Você precisa de alguma coisa?

Balancei a cabeça em negativa. Que diabos tinha acontecido enquanto eu não estava me sentindo bem? Ele sentou-se direito, e o lençol caiu em volta de sua cintura, deixando à mostra para meus olhos toda a parte de cima do corpo dele. O lençol se acumulou em volta de seus quadris, atraindo os meus olhos para os músculos que desapareciam dentro do seu short. Meu Deus! Ele levou a mão aos meus cabelos, os meus cabelos que pareciam sem vida, e que estavam ensebados, grudados no meu rosto, um vívido contraste com o quão boa era a aparência dele agora. Ele não parecia se importar com isso.

Mais uma vez, que diabos estava acontecendo?

— Estou feliz por você estar bem — disse ele.

Assenti. Assentir era tudo o que eu sabia fazer, tudo o que eu entendia. Assentir, pelo menos, ainda fazia algum sentido.

— Você deveria voltar a dormir. Você ainda precisa descansar. A menos que esteja com fome...

Balancei a cabeça em negativa.

— Então dorme.

Ele me empurrou um pouco, de leve, e eu abaixei o corpo devagar, certa de que, no minuto em que minha cabeça encostasse no travesseiro, esse universo alternativo pararia de existir.

Isso não aconteceu.

Ele empurrou as cobertas para trás, e então deslizou para fora da cama.

— Você está indo embora? — perguntei.

Ele parou e, em uma rápida sucessão, eu vi que ele percebeu onde nós estávamos e quão pouca roupa ele estava vestindo. Ele ficou hesitante, incerto. Era uma emoção tão estranha, uma emoção que eu raramente via nele.

— Você quer que eu vá embora?

Eu queria pausar o momento, estudá-lo, dissecar o segundo em que este garoto audaz havia ficado cheio de dúvidas. É claro que eu não queria que ele fosse embora! Eu nunca quis quer ele fosse embora!

Eu balancei a cabeça em negativa. Feliz de que a fadiga de alguma maneira me mantinha calma.

Ele abriu um sorriso tão largo que eu esqueci que a dúvida em algum momento existiu.

— Então não vou embora. Eu só vou pegar um pouco de água. Vá dormir.

Ele saiu e eu me virei de lado, rolando. Eu podia ouvir a torneira sendo aberta e fechada. Tentei imaginar o que ele estava fazendo. O chão não estava rangendo, então ele não estava voltando. Será que ele só estava parado na frente da pia bebendo água? Ou eu não ouvia nenhum rangido porque a minha alucinação havia acabado e ele não ia voltar? Será que o chão tinha rangido quando ele foi até a pia? Eu não conseguia lembrar. Comecei a entrar em pânico. Talvez eu precisasse levantar, ir atrás dele. Ter certeza de que ele era real.

Então minha cama estava abaixada e eu sentia calor debaixo de mim, e havia um braço em volta da minha cintura. Eu me enrijeci a princípio, e depois relaxei tão de repente que praticamente caí em cima dele. Ele estava tão cálido, que eu senti como se estivesse febril novamente.

Ele empurrou meus cabelos para cima no travesseiro, de modo que o meu pescoço ficasse descoberto. Então eu senti alguma coisa, a ponta do nariz dele, talvez, raspando suavemente na minha pele e o exalar de seu hálito.

— Garrick?

Ele apertou os braços, com o corpo curvado em volta do meu, e até mesmo as nossas coxas estavam pressionadas umas nas outras.

— Amanhã, Bliss. Agora, dorme.

Dormir? A ideia me parecia impossível, porém, quando a respiração dele ficou regular e eu me acostumei com o seu toque, eu me dei conta de que eu ainda *estava* cansada. Eu queria ponderar sobre o que havia acontecido, o que eu lembrava e o que não lembrava, mas o sono parecia ser mais importante.

Garrick estava certo. Eu podia esperar até amanhã. Ele estaria ali. Ele disse que não ia embora. Porém, só por garantia, coloquei uma das mãos por cima da mão dele que estava em cima da minha barriga.

Eu tinha achado que ele já estava dormindo, mas ele estava acordado o suficiente para responder ao meu gesto, entrelaçando nossos dedos.

Quando eu tive certeza, tanto de que ele era real quanto de que ele não ia embora... quando as minhas dúvidas se foram, eu dormi.

Acordei várias horas depois. A luz invadia minhas altas janelas, e a minha pele estava escorregadia com o suor. Por um instante, achei que estivesse com febre de novo. Eu me sentei direito e o braço do Garrick caiu da minha cintura. Ele soltou um gemido.

O seu cenho estava franzido e gotas de suor pontilhavam sua face. Pressionei a minha mão na testa dele, e tive bem certeza de que ele estava ardendo em febre. Ele estava com uma aparência horrível, mas eu imaginava que eu deveria estar bem pior. A minha pele e as minhas roupas estavam ensopadas de suor, tanto do meu quanto do dele. Eu tinha a sensação de que a sujeira e a doença formavam uma camada por cima da minha pele.

Tomando cuidado, eu me mexi e saí do alcance do Garrick e plantei os pés no fresco chão de madeira de lei. Ficar de pé fazia com que todos os meus ossos doessem, como se tivessem sido quebrados e consertados do jeito errado, e agora eu teria que quebrá-los novamente para arrumar isso. A cada passo, parecia como se um revolver de pregos estivesse sendo usado nos meus calcanhares, nos meus joelhos, nos meus quadris. Precisei colocar uma das mãos na parede só para me manter em pé. E minha jornada até o banheiro consistiu em trinta lentos e arrastados passos em vez dos dez costumeiros. Quando cheguei lá, estava sem fôlego e pronta para tirar um outro cochilo.

Na minha mente confusa por causa da dor, parecia muito importante que eu me limpasse primeiro. Liguei o chuveiro, deixando-o mais fresquinho, em vez de colocá-lo automaticamente no quente, como de costume. Tirei as roupas, lamentando toda vez que removia uma das peças apenas para descobrir que havia mais uma camada de roupas por baixo. Quando cheguei ao sutiã, quase desisti por completo.

Por fim, eu estava livre, porém, não tinha mais energia para ficar em pé para tomar a chuveirada que eu queria. Como uma criança que estava aprendendo a andar, rastejei para dentro da banheira, reclinando-me e deixando que a água caísse na minha pele. Minha barriga, especialmente, estava tão sensível que cada gota ardia com o impacto, como se alguém estivesse deixando cair minúsculos mísseis de cima. Porém, mesmo assim, a água estava fresca e agradável e eu me derreti nessa sensação.

Por um bom tempo eu fiquei lá deitada, caindo no sono e acordando. Quando minha respiração ficou regular e a dor nos meus músculos foi aliviada, eu me empurrei para cima, deixando que a água ensopasse os meus cabelos e escorresse pela minha face.

O xampu se tornou o vilão da minha história, fazendo os meus olhos arderem e deixando-me exausta enquanto eu tentava esfregá-lo nos cabelos e enxaguá-lo. Parecia que haviam se passado horas antes que a água dos meus cabelos escorresse límpida o bastante para que eu pudesse abrir os olhos sem que eles ardessem. E então eu não consegui me convencer a fazer isso novamente com o condicionador.

Fechei a torneira e reclinei, sentindo a água ser drenada embaixo de mim. Quanto mais tempo meus olhos permaneciam fechados, mais pesado meu corpo se tornava. As pequenas poças de líquido na minha pele secaram-se devagar, e a sensação de estar vazia, imóvel por um instante, era boa.

Então eu me lembrei do Garrick, e soube que tinha sido egoísta por tempo o suficiente.

A parede da banheira podia muito bem ser um parapeito. Foi preciso que eu usasse toda a minha força para me erguer e sair dela. Roupas estavam totalmente fora de questão. Enrolei uma toalha nos cabelos e vesti um roupão. Apanhei algumas toalhas de rosto, umedecendo-as com água fresca, e torcendo-as para retirar o excesso da água.

Eu me sentia um pouco mais viva agora, e tinha conseguido caminhar sem ter que me segurar na parede. A dor estava lá, em segundo plano, a cada passo que eu dava, mas era possível aguentá-la. Mesmo assim, era um alívio afundar ao lado do Garrick na minha cama.

Puxei as cobertas para trás e ele se mexeu, mas não acordou. Coloquei um dos panos úmidos na testa dele, e desdobrei um outro repousando-o no peito dele. Usei o último para passá-lo nos braços e nas pernas dele. Mas até mesmo isso se tornou difícil, então enrolei o último pano e coloquei-o debaixo de seu pescoço.

Então eu me deitei ao lado dele e dormi.

Na vez seguinte, nós acordamos juntos. Ele ainda estava com febre, mas eu o convenci a beber um pouco de água. Foi somente quando eu mesma tomei um pouco de água que percebi o quanto eu estava com sede. Ajudei-o a beber um copo cheio de água e depois eu mesma virei dois copos. Eu tinha energia o bastante para tirar o meu roupão grosso e trocá-lo por um pijama soltinho. Coloquei um novo pano umedecido na testa do Garrick e ele suspirou.

— Obrigado — murmurou ele.

Eu não sabia ao certo o quão consciente ele estava. Definitivamente ele sabia que eu estava ali, visto que havia chamado meu nome algumas vezes desde que tinha acordado. E ele sabia que estava doente, mas eu não sabia o quanto além disso ele sabia.

— De nada, mas, para ser justa, você realmente cuidou de mim primeiro.

Os olhos dele estavam fechados, mas ele abriu um sorriso.

— Você é melhor nisso.

— Isso não importa — falei. — Simplesmente era legal não estar sozinha.

Ele tentou se mexer e ficar de lado para que ficasse cara a cara comigo, mas acabou apenas esticando os braços na minha direção, seu corpo ainda na horizontal. Envolvi o peito dele com um dos braços, e puxei-o, e ele colocou os braços em volta de mim e me puxou também, de forma que ele acabou ficando de lado e bem mais perto de mim.

Quando estava acomodado, ele soltou o ar, exausto com esses poucos movimentos. Ele disse:

— Eu sinto muito.

— Pelo quê?

Por precisar de ajuda? Ele parecia muito mais forte e parecia estar melhor do que eu estava.

— Por deixar você completamente sozinha. Por me meter entre você e o Cade. Por não ter dito que sentia a sua falta porque sou teimoso demais. Sinto muito.

Eu estava confusa, as peças do quebra-cabeça ainda não se encaixavam direito. Mas eu tinha ouvido o que importava, ele sentia muito e eu também. E meu cérebro estava indistinto demais para que eu me lembrasse dos detalhes de por que isso não deveria estar acontecendo. Eu o puxei para junto de mim e a cabeça dele caiu na curva do meu pescoço. Inspirei fundo pelo que parecia a primeira vez em meses. Eu queria perguntar a ele sobre o telefonema, sobre a nossa briga, sobre tudo. No entanto, ele ainda murmurava "eu sinto muito", repetidas vezes junto ao meu pescoço, e isso realmente não importava.

Eu o abracei com mais força e, juntos, nós vencemos a doença e dormimos.

CAPÍTULO 25

Nós passamos dias assim, envolvidos um no outro, dormindo e acordando, comendo e tomando banho quando sentíamos que seríamos capazes de fazer essas coisas. Era estranho pensar na doença como um oásis, mas era isso que ela era. Quando nossas necessidades físicas triunfavam sobre nossos cérebros, nós não precisávamos conversar, nem sobre nosso relacionamento, e nem sobre o que o havia partido. Não precisávamos fazer nada e nem nos explicarmos. Eu nem mesmo tinha de me preocupar por ser virgem e nem com a ideia de fazer sexo com ele.

Nós nos aninhamos um no outro e encontramos a cura no silêncio debaixo das minhas cobertas, longe do mundo. No sábado, nós estávamos bem o bastante para passarmos mais tempo fora da cama, para comermos comida de verdade, para assistirmos à TV... para conversarmos.

Nós nos deitamos no sofá, minhas costas no peito dele e o braço dele quente e confortável em volta de mim. Nós deveríamos estar assistindo à TV, mas a testa dele estava pressionada no meu pescoço, e eu fazia um interrogatório a ele sobre os primeiros dias da minha doença.

— O que o Eric disse quando você ligou para ele?

— Ele não ficou chateado, se é isso que você quer saber. Metade do elenco está doente agora, eu acho.

Que ótimo! Nossa peça ia ser uma grande porcaria se todos nós estivéssemos exaustos ao mesmo tempo. Poderíamos chamá-la de peça experimental: *Fedra Letárgica.*

Fiz uma outra pergunta.

— O que ele disse quanto a você cuidar de mim?

Ele ergueu a testa do meu pescoço.

— Ele não sabe disso. Ele me disse para colocar você na cama, que você iria ficar bem. Ele sugeriu que eu usasse seu telefone para ligar para sua mãe.

Isso teria sido uma coisa horrorosa! Conhecendo minha mãe, ela teria perguntado ao Garrick quando ele planejava me pedir em casamento logo depois de ela ter ficado sabendo qual era o nome dele.

— Mas você ficou.

— Eu não podia simplesmente deixar você. Disse ao Eric que eu também não estava me sentindo bem e fiquei aqui com você.

— Mas, por quê?

— Você tem mesmo que perguntar?

— Tenho sim.

Eu havia ouvido quando ele falava ao telefone, todas aquelas semanas atrás, eu o ouvi dizer que não se importava, que eu era apenas algo inconveniente. Qualquer que fosse o motivo pelo qual ele havia ficado... eu precisava ouvir qual era.

Ele disse:

— Bem, então, se vamos fazer isso, eu vou fazer isso do jeito certo.

Ele tentou sentar-se direito atrás de mim, mas nossa posição no sofá era quente e confortável, e nós dois ainda estávamos nos sentindo um pouco mal, então acabamos ficando enrolados, com ele praticamente em cima de mim. Eu ainda estava de lado, apertada debaixo dele. Ele tentou se soltar de mim, mas lembrava uma tartaruga de costas. Por fim, ele desistiu, e se levantou apenas o bastante para que eu pudesse virar e ficar com as costas para baixo, e então ele se abaixou em cima de mim com mais gentileza.

Apesar de termos dormido na mesma cama durante uma semana, isso ainda era íntimo, ainda era excitante, ainda era aterrorizante. Ele se mantinha erguido, apoiado nos cotovelos, o máximo quanto lhe era possível, mas ele estava fraco, então seu peso ainda fazia pressão em mim.

Gostei disso.

— O que era mesmo que eu estava dizendo? — perguntou ele. — Ah, certo, que eu poderia estar me apaixonando, caindo de amores por você.

Eu pisquei. Então pisquei de novo.

Pisquei-pisquei-pisquei em meio a uma multidão de emoções em meros segundos: choque, descrença, animação, medo, tesão, incerteza, e me fixei em uma coisa... algo grande demais para um nome. Havia uma galáxia dentro de mim — complexa e infinita e miraculosa e frágil. E, no centro dela, estava o meu sol. Garrick. Amor. Os dois eram como sinônimos para mim agora. Ele estava se apaixonando por mim? *Por mim?*

Um roçar da mão dele me trouxe para fora daquele universo, e de volta ao momento presente.

— Você pode levar um homem à loucura com esse tipo de silêncio.

— Eu também amo você — falei. Então eu me lembrei de que ele não tinha dito *exatamente* essas três palavras. Ele havia dito que estava *caindo* de amores por mim, se *apaixonando* por mim. E havia um "talvez" nisso aí. Merda. — Eu quero dizer... o que eu deveria ter dito é que sinto o mesmo que você. Também estou apenas me apaixonando.

Porque já estar amando você seria rápido demais. Seria loucura. Isso seria demais, certo? É demais. É rápido demais. Então... eu não estou apaixonada por você. Não estou. Não é que você não seja passível de ser amado, é só que há uma diferença entre se apaixonar, cair de amores, e *estar* apaixonado, estar amando. E nós nos enquadramos no primeiro caso e não no segundo, não ainda. Então, eu também posso estar me apaixonando, caindo de amores por você. Era isso o que eu queria dizer. Isso é *tudo* o que eu queria dizer.

Eu estava perdendo o autocontrole emocional. Os olhos dele estavam agradáveis e a expressão neles, inalterada, e não entregava nada, então eu continuava regredindo para a incoerência. Por fim ele me beijou, um beijo rápido, mas parecia uma pontuação, como se eu finalmente pudesse parar de *falar*.

Suspirei:

— Você deveria fazer isso *antes* de eu começar com as minhas conversas de gente doida.

Ele riu e me beijou de novo, um beijo um pouco mais longo dessa vez.

— Eu gosto da sua conversa de gente doida. Melhor ainda, eu amo a sua conversa de gente doida. Pronto. É isso. Eu não estou mais caindo de amores por você nem me apaixonando por você... eu já estou apaixonado por você. Eu já estou amando você. Isso não é demais, é?

O largo sorriso dele era ofuscante e tão zombeteiro que dei um rápido beliscão no braço dele.

Ele nem mesmo teve a decência de parecer que estava sentindo dor. Ele apenas me beijou, pressionando todo seu peso para cima de mim, e esse era o melhor tipo de "demais".

Eu sempre tinha pensado demais, sempre tinha muita coisa na minha cabeça, como disse o Eric. Porém, desde que tinha conhecido Garrick, adquiri uma tendência embaraçosa de parar de pensar por completo. As coisas que saíam da minha boca como resposta eram quase sempre embaraçosas, mas, às vezes... funcionavam. Às vezes, dizer a primeira coisa que vinha à cabeça era uma boa. Às vezes, simplicidade e honestidade funcionavam melhor.

Eu *esperava* que esse fosse um daqueles momentos.

— Eu sou virgem — falei. — Foi por isso que eu saí correndo na noite em que nos conhecemos. Eu não tinha gato nenhum. Eu não estava com o Cade. Eu só estava com medo.

Ele fez uma pausa no meio do beijo no meu pescoço. Então, devagar, devagar como placas tectônicas se mexendo, ele levantou a cabeça. Ele ficou me encarando, olhando fixo para dentro de mim, através de mim. Resisti à premência de esconder o rosto, de sair aos gritos, de inventar desculpas ridículas envolvendo algum outro tipo de animal. Sussurrei:

— Você pode levar uma garota à loucura com esse tipo de silêncio.

Ele apresentou uma reação... bem de leve... a pele entre as suas sobrancelhas ficou franzida.

— Deixe-me ver se entendi... você não tinha um gato? Você *arrumou um gato* só para não ter que me dizer que era virgem?

Pressionei os lábios um no outro para impedi-los de tremer. Assenti. A expressão no rosto dele estava em algum ponto entre o choque e a diversão. Ele estava estupefato. Essa era a melhor palavra. O *fato* era que ele estava *estupefato*.

— Você disse que amava a minha loucura — lembrei-o disso.

— Eu amo, sim. Eu amo você. É só que... falando a verdade? Eu estou aliviado.

— Você está aliviado por eu ser virgem? Que foi, você achou que eu fosse uma *vadia?*

— Eu nunca acharia que você era uma vadia. — Era completamente inapropriado que eu achasse adorável o jeito como ele falava a palavra "vadia"? — Mas eu sabia que você estava escondendo alguma coisa.

Fiquei preocupado que houvesse algum outro motivo pelo qual você não quisesse ficar comigo. Ando paranoico em relação a isso há meses.

— Você tem andado paranoico? Eu ouvi aquele telefonema em que você disse que eu era uma inconveniência. Você estava planejando trocar de emprego por minha causa. Fiquei petrificada com a possibilidade de que, se eu ficasse olhando por tempo demais para você, ou se desse na cara o quanto eu sentia a sua falta, você faria as malas e iria embora.

— Do que você está falando? Eu nunca estive planejando ir embora.

— Eu ouvi o que você disse. Naquele dia em que dei uma passada no seu escritório. Você estava ao telefone com alguém lá da Filadélfia, e disse que havia superado o lance entre nós dois, que isso tinha sido apenas uma inconveniência...

Ele levou uma das mãos aos meus lábios e disse:

— Bliss, agora eu *vou, sim,* pôr um ponto final na sua conversa de gente louca. Embora nossa situação seja tudo, menos conveniente, *você* nunca foi uma inconveniência para mim! E eu não teria ido embora nem mesmo se eles tivessem me demitido. Eu estava muito apaixonado por você.

Resisti à necessidade urgente de corrigir o uso que ele fez do verbo no passado. Ele *está* apaixonado por mim. Ele me ama. Meu Deus, que sensação boa! Tão boa que eu poderia tatuar isso em algum lugar do meu corpo.

Ele soprou o ar, e as mechas loiras de cabelos em sua testa dançaram em resposta a isso.

— O telefonema, na verdade, era sobre uma coisa que tinha acontecido antes de eu sair da Filadélfia. Era parte do *motivo pelo qual* eu tinha saído de lá.

Eu me lembrei do dia em que eu tinha perguntado a ele porque ele deixara a Filadélfia, ele havia mudado de assunto, de forma um tanto quanto eficaz, me beijando. Eu não tinha me importado naquele momento. Talvez se tivesse me importado, as coisas teriam acontecido de um jeito diferente. Ele se mexeu para sair de cima de mim, mais uma vez ficando de lado. Ele mal me olhou enquanto falava:

— Eu tinha uma amiga chamada Jenna. Nosso relacionamento era muito parecido com o seu com o Cade. Nós nos tornamos amigos na pós-graduação, e mesmo eu sabendo que era uma má ideia, tentamos ser mais do que amigos. Quando eu terminei o relacionamento, bem, foi um desastre. Nós estávamos trabalhando em um espetáculo juntos. Fizemos muitos trabalhos no mesmo teatro e, muito como nos ensaios iniciais de *Fedra,* arruinamos tudo o que fazíamos juntos. O resultado disso foi que eu estava enfrentando dificuldades para achar trabalho e a maioria dos nossos amigos havia ficado do lado da Jen, então, quando o Eric me ofereceu uma saída, eu vim correndo. Eu tinha abandonado a Filadélfia. Eu tinha desistido. E perdera uma boa amiga no processo. O telefonema que você ouviu era sobre a Jen. Era isso que eu tinha superado. E foi por esse motivo que eu fui tão duro com você e com o Cade. Fiquei aterrorizado com a possibilidade de que você viesse a ficar com ele, mesmo sabendo que vocês eram apenas amigos. Tive medo de que você cometesse o mesmo erro que eu. Sinto muito. Lidei tão mal com tudo isso. Se apenas eu tivesse lhe dito quando você perguntou, você poderia ter entendido...

Era a minha vez de fazê-lo parar com um beijo. Eu me virei de lado, e puxei-o para junto de mim. Despejei todas as emoções equivocadas naquele beijo — a incerteza que eu havia sentido quanto aos sentimentos dele, o medo da minha virgindade, o remorso por todo o tempo que havíamos desperdiçado. Soltei todas aquelas coisas, mandei-as embora com um beijo.

— Eu entendi agora — falei para ele. — É isso o que importa.

— Eu amo você — disse ele.

Eu nunca me cansaria de ouvir isso.

— Eu também amo você.

Ele disse:

— Você pode falar isso mais uma vez? Para que eu possa ter certeza de que não é a doença que está deixando meu cérebro confuso?

Eu o beijei, com suavidade. Em nosso estado atual, suave era praticamente tudo com o que eu conseguia lidar.

— Eu amo você, Garrick.

Era chocante o quanto eu *não* estava mais assustada. Não mais.

CAPÍTULO 26

Havia um colar de ouro bem pesado no meu pescoço. Meus cabelos formavam uma pilha de cachos e joias, e meu vestido, embora amplo e simples, era pesado e exagerado. Eu estava sentada, com o olhar fixo no espelho do camarim enquanto a estilista dava os toques finais nos meus cabelos, e eu terminava de aplicar a maquiagem de palco. Era a noite de abertura e, apesar do meu figurino e joias pesadas, eu sentia como se fosse sair flutuando.

A animação corria mais rápido do que o sangue pelas minhas veias.

Nós estávamos ali. Finalmente. A abertura havia sido postergada por uma semana devido à doença que se espalhou entre os membros do elenco, mas, mesmo assim, eu achava que a peça seria boa. Realmente boa. E eu não estava sozinha nisso.

Kelsey entrou voando na sala, linda como Afrodite.

— Eu sei, eu sei. Você não tem que ficar me encarando. Eu sei como estou incrível!

Sorri, simplesmente feliz por tê-la de volta. Ela havia sido a única dos meus amigos mais chegados a não pegar a temida mononucleose, o que era cruel, considerando-se que a brincadeira do jogo da garrafa tinha sido ideia dela.

Ela havia aparecido em casa no último dia do recesso de primavera para exigir que nós duas "parássemos de ser garotinhas afetadas e fizéssemos logo as pazes", só para se deparar comigo e com Garrick enrolados na cama juntos. Ela juntou as peças bem rápido do motivo pelo qual eu não quis sair para dançar naquela noite e, com um sorriso bem largo, afastou-se do meu quarto, dizendo:

— Não liguem para mim. Eu não vi nada. Eu não vou abrir o bico.

A princípio, eu e Garrick surtamos por completo, mas desde então, definitivamente Kelsey havia se tornado uma aliada.

Ela sorriu para Megan, a estilista que estava terminando meus cabelos, e disse:

— Está ótimo, Meg! Você é fantástica! Mas eu acho que Alyssa precisava de você para alguma coisa, então você poderia querer terminar isso logo.

Megan assentiu, borrifando o produto final com meia lata de spray de cabelos antes de sair correndo do camarim.

Kelsey se jogou em uma cadeira ao meu lado:

— De nada. E, em primeiro lugar, você está linda. Estou com um pouco de inveja. Afrodite não deveria ter um vestido melhor?

Revirei os olhos.

— Tudo bem, ok. Deixa pra lá. Em segundo lugar, você vai ser incrível essa noite. Tipo, deem a ela um Tony[4] porque ela é incrível! Em terceiro lugar, quebre a perna!

Ela se inclinou na minha direção e lambeu a lateral do meu rosto, uma esquisita tradição pré-espetáculo que Kelsey tinha desde que eu a conhecia.

---

[4] O "Antoinette Perry Award for Excellence in Theatre", ou simplesmente "Tony Award", é a principal premiação do teatro nos Estados Unidos. (N. T.)

— E, por fim, há alguém esperando por você do lado de fora para lhe desejar um bom espetáculo. Você tem cinco minutos até o aquecimento. Eu posso lhe prometer privacidade por três minutos, então é melhor aproveitar enquanto pode.

Ela deu um beijo sem encostar a boca na minha bochecha, saindo aos pulinhos em direção à porta e trancando-a atrás de si depois que o Garrick havia entrado ali sorrateiramente.

— Oi — disse ele.

— Ei.

Ele avançou uns passos na sala e eu fiquei de pé. Era desconcertante me ver nas dúzias de espelhos que havia em volta de toda a sala, então me foquei nele, o que não era difícil. Ele estava lindo como sempre.

— Você está...

Ele fez uma pausa, absorvendo a visão do meu figurino azul meia-noite.

— Se você disser "fofinha", eu vou tirar a sua pele com você vivo.

Ele sorriu e me puxou para junto dele. Tomando cuidado para não borrar a minha maquiagem, ele deu um beijo no meu pescoço, e então se abaixou e lançou um beijo no meu coração, logo acima da linha do meu vestido. Agarrei os ombros dele, sentindo-me zonza com seu toque.

Ele disse:

— Eu ia dizer que você está incrivelmente sexy. Fico feliz de que você não seja minha madrasta.

Eu ri:

— Eu não sei ao certo se ser sua aluna é muito melhor.

Ele arrastou os lábios pelo meu pescoço acima, e depois mexeu o rosto para que nossos rostos ficassem perto um do outro. Os olhos azuis dele eram quase da mesma cor do meu vestido, escuros e decadentes.

— Um mês — disse ele.

Nós teríamos um mês pela frente até que ele não fosse mais o meu professor, e eu não fosse mais uma estudante da faculdade. Um mês até que não teria importância como nos sentíamos e nem quem sabia sobre nós dois. Um mês até que nós planejássemos fazer sexo.

Havia parecido um plano razoável quando estávamos doentes e enfurnados no meu apartamento. Aquilo havia me dado o tempo de que eu precisava para lidar com minha ansiedade, e era importante, visto que não poderíamos mais nos meter em encrenca. No entanto, quanto mais ele me olhava *daquele jeito*, como ele estava olhando para mim agora, como se me amasse, menos eu me importava em esperar.

— Eu gostaria de realmente poder beijar você — disse ele, fitando os meus lábios com um ar de lamento, que estavam carnudos e vermelhos graças a camadas e mais camadas de maquiagem de palco.

— Hoje à noite — falei para ele. — Depois da festa. No meu apartamento?

Ele se inclinou para a frente, desviando no último segundo dos meus lábios e me beijando naquele lugar debaixo da orelha onde ele *sabia* que fazia com que os meus joelhos fraquejassem.

— Não vejo a hora. "Eu sinto todas as fúrias do desejo".

Ele citou para mim uma das minhas falas da peça, e isso me fez lembrar de que provavelmente o nosso tempo estava acabando.

— Provavelmente você deveria sair antes de que todo mundo volte. Você pode agradecer à Kelsey quando estiver saindo?

— Ah, farei isso. A melhor coisa que já aconteceu comigo... aquela garota descobrindo sobre nós dois.

Eu me virei de volta para o espelho, certificando-me de que minha maquiagem e meus cabelos ainda estavam perfeitos.

— Eu vou fingir que você não acabou de dizer que minha melhor amiga foi a melhor coisa que já aconteceu com você.

Mesmo que ele devesse já estar saindo dali, ele voltou correndo para meu lado e me envolveu por trás com os braços. Ele beijou meu pescoço uma última vez e disse:

— Eu amo você.

Olhei para ele através do espelho. Nós ficávamos bons juntos: ele, de terno, e eu em um elaborado vestido no estilo grego. Ainda era meio que inacreditável, essa coisa que a gente tinha.

— Eu amo você também — falei.

Continuei olhando fixo para o espelho depois que ele saiu, pensando que eu parecia diferente. Não era apenas o figurino e os cabelos e a maquiagem — era eu. Eu parecia... feliz.

Ouvi quando Alyssa nos chamou para o aquecimento, e inspirei fundo, tentando acalmar meu coração acelerado.

Hoje era um grande dia.

Nossa primeira apresentação de *Fedra*.

Minha última noite de abertura aqui.

E, se as coisas saíssem como eu planejava, a noite em que eu perderia a virgindade.

* * *

Há momentos no teatro em que tudo se reúne exatamente como deveria acontecer. Os figurinos e o set estão perfeitos, o público está encantado e envolvido, e a atuação é tranquila.

Essa noite era um desses momentos. Todos os atores estavam em chamas. E eu... eu vivi uma outra vida naquelas duas horas no palco. Vivi a vergonha. Essa era uma emoção familiar para mim. Vivi a esperança quando recebi a notícia da morte do meu marido. Eu sonhava que talvez... talvez Hipólito pudesse ser meu. Senti o horror quando a minha afeição não foi correspondida e quando fiquei sabendo que no final das contas o meu marido não estava morto. Vivenciei a dor do remorso quando Hipólito foi morto com base nas minhas falsas acusações. E então, por fim, senti a aceitação, a libertação da admissão dos meus crimes, e era quase como se eu pudesse sentir o veneno que Fedra tomou, seguindo o seu curso pelas minhas veias, seguindo em direção ao meu coração. Não foi até o momento em que eu tinha caído no chão, as últimas falas de Teseu haviam sido ditas, e as luzes ficaram esmaecidas, que eu realmente saí desse transe.

Os aplausos começaram no escuro, e a respiração ficou presa na minha garganta. Lutei para conter as lágrimas que vinham junto com a sensação de estar vivenciando algo tão perfeito e poderoso quanto a apresentação que eu tinha acabado de fazer. Era disso que se tratava o teatro, desse tipo de experiência. Nós nunca seríamos capazes de recriar aquilo de novo. Apenas as pessoas que aqui estavam essa noite saberiam como foi o espetáculo.

O teatro é uma vez na vida... o tempo todo.

Era como se as estrelas se alinhassem, porque, de repente, tantas coisas mais sobre minha vida se tornavam óbvias. Coisas que haviam passado despercebidas para mim até agora estavam claras na minha mente. Tudo fazia sentido, e eu mal podia esperar para ver Garrick. Os bastidores estavam um pandemônio quando saímos do palco depois das nossas reverências finais. Amigos e familiares ladeavam os corredores entre a porta do palco e os camarins. Eric estava lá, sorrindo para nós, orgulhoso do espetáculo que havíamos criado juntos. Eu o abracei primeiro, tão grata por ele ter me dado essa chance, e porque ele não ter me descartado naquela primeira semana em que eu estava fazendo tudo de um jeito terrível.

— O melhor trabalho que eu já vi você fazer, Bliss. Você deveria se orgulhar disso.

Eu estava orgulhosa, ah, meu Deus, se estava! Parecia que meu rosto havia cindido ao meio com meu sorriso. Garrick estava atrás dele e, mesmo sendo arriscado, eu o abracei também. Ele não me abraçou por muito tempo, apenas por tempo o suficiente para sussurrar "Brilhante" ao pé do meu ouvido.

Então eu me perdi em meio à multidão. Eu estava grudando de tão suada, e meu vestido parecia tão pesado que era como se houvesse uma outra pessoa pendurada em mim, mas saboreei os abraços e os parabéns que jorravam para cima de mim. E, quando eu estava de volta ao camarim... eu dancei. Todos nós dançamos. Kelsey ligou seu iPod, e nós celebramos enquanto tirávamos as camadas de nossos figurinos. Nosso camarim estava repleto de flores, o que ajudava a mascarar o suor. Quando nossas coisas estavam guardadas; as roupas de verdade, vestidas; e nossa maquiagem de palco, removida; e maquiagem de verdade, novamente aplicada; levamos a festa para um outro lugar. Nós estávamos nos dirigindo ao SideBar, o único bar perto do *campus* que permitia a entrada de pessoas com menos de vinte e um anos, quesito obrigatório, já que todo o elenco estava indo para lá.

Fiquei surpresa ao descobrir que Cade esperava por mim do lado de fora do camarim quando nós saímos de lá. Ele veio ao meu lado.

— Ei, eu posso lhe dar uma carona até o SideBar?

Isso foi surpreendente, mas com certeza bem-vindo.

Eu disse o seguinte a ele:

— Isso seria ótimo, mas estou planejando sair cedo. Estou muito cansada.

— Ah — ele assentiu. — Bem, você se importaria se eu fosse de carona com você, e depois eu simplesmente arrumo uma outra carona até em casa?

— Certo, por mim tudo bem.

Nós caminhamos até meu carro em silêncio, e eu chacoalhava minhas chaves, que emitiam um som metálico, para encher o espaço com barulho. Dei partida no carro, e abaixei de imediato o volume do rádio.

— E aí, como vão as coisas, Cade?

Ele mexia com o cinto de segurança. Nervoso. Ele não respondeu a minha pergunta, mas, em vez disso, ele me fez uma pergunta:

— Como vão as coisas com Garrick?

Franzindo o cenho, saí com o carro do estacionamento, observando-o com o canto do olho:

— Por quê?

— Desculpe-me. Isso é estranho? Eu não queria que fosse estranho, eu só estava tentando ser amigável.

Ele parecia tão desconfortável. Como foi que nós havíamos sido reduzidos a isso?

Eu disse:

— Não é estranho não, Cade. Desculpe-me. É só que eu... eu fico um pouco cautelosa, é só isso. As coisas estão ótimas, para falar a verdade.

Ele assentiu:

— Bom. Isso é bom.

Depois de passar tanto tempo com Garrick, eu havia me esquecido de como era lidar com caras que simplesmente não diziam o que eles estavam pensando.

— Só me fala logo sobre o que você quer conversar, Cade. Seja o que for, tudo bem.

Ele inspirou fundo. Cade ainda estava nervoso, mas não estava mais inquieto.

— Eu tenho uma pergunta a fazer, mas tenho quase certeza de que é coisa de quem está metendo o nariz onde não foi chamado e não quero ultrapassar nenhum limite.

— Cade, eu sei que as coisas foram difíceis. Mas eu ainda considero você um dos meus melhores amigos. Eu quero que você seja um dos meus melhores amigos de novo. Pode me perguntar qualquer coisa.

— Vocês dois vão continuar juntos depois que nos formarmos?

Minha reação instintiva foi:

— Sim!

Mesmo que nós não tivéssemos conversado sobre isso, não claramente. Nós havíamos deixado isso implícito, claro, com todo o lance do "um mês", mas não tínhamos de fato tido aquela conversa pra valer.

— Vocês vão ficar aqui? Ou vão se mudar para a Filadélfia? Ou para algum outro lugar?

Levei o carro para dentro do estacionamento, usando a busca por uma vaga como uma desculpa para organizar meus pensamentos. Essa definitivamente não era uma conversa que eu e Garrick tivemos, não importando o quanto eu tivesse pensado nisso.

— Por que você está fazendo essa pergunta?

Ele despenteou os cabelos e eu resisti à minha necessidade urgente de dizer "Desembucha logo, caramba!".

— Bem, eu me inscrevi em uma faculdade de pós-graduação alguns meses antes... bem... antes de tudo. E eu realmente não tinha achado que eu iria para lá, mas eu entrei, e agora estou pensando que, na verdade, poderia vir a gostar de estudar lá.

— É mesmo? Que ótimo, Cade!

— É a faculdade de Temple, na Filadélfia.

— Ah.

Essa era a faculdade onde Garrick tinha estudado.

— E eu só não sabia ao certo se vocês dois iam para a Filadélfia, e se você achava que seria esquisito se eu fosse para lá também. E, se não for esquisito, eu achei que talvez nós ainda pudéssemos... sabe, sair juntos. Se o Garrick estiver de boa com isso.

Uma imagem começou a se formar na minha mente de como poderia ser a vida. Era um pensamento bem legal.

— Eu não sei se estaremos na Filadélfia ou não. Mas, se estivermos... não, não será esquisito. E, sim, vamos sair sim. E, fique o Garrick de boa ou não com isso, ele não decide o que eu faço. Eu falei sério, Cade. Eu realmente quero que sejamos amigos de novo.

Ele sorriu, relaxado em seu assento, por fim.

— Eu também.

CAPÍTULO 27

Cade não era o único pensando no futuro. No SideBar, nós tivemos a nossa cota de comemoração e de comer e beber, mas logo a conversa ficou sentimental. Nós partilhamos lembranças de nossas primeiras apresentações, aulas que havíamos tido juntos, festas que tinham dado horrivelmente errado. Rusty sugeriu que poderíamos fazer uma outra festa dos amassos, e ele foi alvo de guardanapos voando e de pedaços de papel e até mesmo de um *hot roll*.

Assim como com o teatro: a vida às vezes tem momentos perfeitos em que as estrelas todas se alinham, e você está exatamente onde quer estar, com ótimas pessoas, fazendo exatamente o que quer fazer.

Deixar a faculdade parecia impossível.

Eu nunca fui mais feliz do que nos quatro anos que eu tinha passado aqui. Olhei ao redor, na mesa, enquanto as pessoas riam e gritavam (nós só tínhamos um volume: realmente alto). Essas pessoas eram a minha família. Eles me entendiam e me conheciam como ninguém mais.

Eu não conseguia imaginar minha vida sem eles.

— Ah-ah! Alerta de lágrimas a caminho! — gritou Kelsey — Bliss está ficando chorosa!

Passei as mãos nos olhos e, para o meu embaraço, ela estava certa.

— Cala a boca! É só que eu amo vocês, pessoal, ok?

Os braços da Kelsey foram os primeiros a me envolverem, depois os do Rusty, e depois os do Cade, e depois eu perdi a conta.

Rusty disse:

— Parem de agir como se não tivéssemos um mês juntos ainda. Eu não sei quanto a vocês, pessoal, mas eu tenho uma tremenda de uma lista das coisas que tenho que fazer antes de sair da faculdade e preciso que vocês me ajudem a levá-la a cabo. Começando com tomar um porre na minha última noite de abertura. Então, vamos começar.

Eu comi e bebi, apenas ouvindo as histórias e conversas ao meu redor, absorvendo tudo aquilo. A vida era boa, e, se as coisas saíssem como eu queria, estaria prestes a ficar ainda melhor.

Foi mais difícil do que eu pensava pedir licença para sair depois que o jantar tinha terminado. Não porque eu estivesse nervosa em relação ao que havia planejado fazer essa noite — para falar a verdade, eu me sentia bem em relação a isso —, mas sim porque eu não queria deixar meus amigos.

Era engraçado sentir falta das pessoas antes mesmo de deixá-las, mas era isso o que eu estava sentindo agora.

Um pouquinho de melancolia permaneceu comigo o tempo todo, desde que saí do bar até o momento em que entrei no meu carro, mas não demorou muito para que a melancolia desaparecesse à luz de aonde eu estava me dirigindo. Não enviei nenhuma mensagem de texto ao Garrick quando estava a caminho de casa como eu havia dito a ele que faria, porque eu queria ter um tempo para preparar as coisas.

Tomei um banho rápido, e então deixei os cabelos soltos, para que secassem e ficassem ondulados, porque Garrick gostava deles assim.

Isso me fez pensar naquela noite na casa noturna, e meu coração batia mais rápido só com a lembrança.

Encontrei a sacola da Victoria's Secret no fundo do meu closet com a lingerie que eu tinha comprado especificamente pensando nessa noite. Vesti a lingerie, tentando imaginar de novo o que Garrick poderia pensar ou sentir quando ele me visse.

Olhando no espelho, eu me senti sexy, como ele sempre disse que eu era. Coloquei de volta o vestido que tinha usado depois do espetáculo, não querendo entregar nada ainda. Arrumei o quarto, certifiquei-me de que havia camisinhas no criado-mudo e então me sentei na cama.

Eu ia fazer isso. Eu *realmente* ia fazer isso.

Eu ia fazer sexo com Garrick... essa noite.

Alguma coisa subiu borbulhando no meu peito. A princípio, achei que fosse nervosismo, mas então eu reconheci a sensação. Era o mesmo tipo de sensação que eu tive logo que descobri que havia sido escolhida para o papel de Fedra e a mesma sensação que tive quando o espetáculo tinha se saído tão bem. Era algo além da animação, algo melhor.

Porque eu podia, subi na minha cama em um pulo, e pulei uma vez em cima dela. A sensação era tão boa, então eu fiz isso de novo. Debati os braços porque parecia a coisa certa a ser feita, e então cobri o rosto com as mãos e soltei o grito mais silencioso que consegui.

— O que você está fazendo?

Garrick estava no pé da minha cama, e um largo e divertido sorriso se abriu no rosto dele. Soltei um gritinho e caí de volta na cama.

— O que você está fazendo aqui? — perguntei.

— Eu vi o seu carro do lado de fora, então resolvi dar uma passada aqui. Eu não tinha me dado conta de que você tinha começado a festa sem mim. Imagino que esteja animada com o espetáculo dessa noite...

Desci da cama o mais graciosamente possível (querendo dizer que desci da cama com graça zero). Eu deveria ter esperado por algo assim.

Parecia que eu era incapaz de ter um momento íntimo com Garrick sem fazer alguma coisa embaraçosa. Pelo menos, dessa vez isso aconteceu no começo.

— O espetáculo foi ótimo, mas eu estou feliz por estar em casa.

Coloquei uma das mãos no peito dele e ele me envolveu em um abraço.

— Você estava ótima essa noite, e agora eu quero tê-la totalmente para mim.

Eu realmente não havia pensado em como seria a melhor maneira de abordar o que eu queria fazer essa noite. Eu tinha pensado na lingerie e nas camisinhas, e provavelmente na dor, mas não tanto na conversa "Ei, estou pronta para fazer sexo".

Quer dizer, ele é homem, então eu duvidava muito de que ele fosse se importar com a forma como eu ia dizer isso a ele, mas, ainda assim... eu queria que fosse do jeito certo.

— Como foi a comemoração? — ele me perguntou.

— Boa, realmente boa. Vou sentir falta de todo mundo quando nos formarmos. É um pouco de loucura pensar que só temos um mês pela frente.

— Um mês.

Ele sorriu e se inclinou para baixo, para um beijo.

Eu acho que ele pretendia que o beijo fosse rápido, mas eu realmente não lhe dei escolha. Envolvi os braços em um gancho em torno de seu pescoço para mantê-lo abaixo, na minha altura, e pressionei meus lábios com mais firmeza junto aos dele. Ele murmurou de leve, e as vibrações fizeram meus lábios formigarem. A mão dele curvou-se em torno das minhas costelas e eu queria que fossem mais longe. Eu queria que ele me tocasse por toda parte.

Quando ele estava demorando demais, eu abri a boca e tracejei o contorno da boca dele com a língua. Ele me deixou entrar e o seu sabor era tão viciante como sempre. A cada vez que a língua dele roçava a minha, eu sentia mais certeza.

Puxei meus braços do pescoço dele para baixo, e deslizei uma das mãos sob a camiseta dele, pressionando as pontas dos dedos em suas costas, e as mãos dele permaneceram em lugares seguros, nas minhas costelas e no meu pescoço, mas eu senti que se contorciam e aumentavam de leve a pegada com o contato de pele com pele.

Ele continuou me beijando... devagar, com segurança.

Deslizei minha outra mão por baixo da camisa dele, sentindo os sulcos de seu abdômen, subindo até seu peito. Eu esperava que ele fosse captar a indireta e mexer a própria mão como consequência.

O que ele não fez.

Frustrada, eu o mexi bem de leve até que minha cama estava pressionando a parte de trás dos joelhos dele e o empurrei. Ele afundou na cama, e eu não perdi tempo e subi no colo dele, pressionando meu corpo junto ao dele da mesma forma como eu tinha feito naquela primeira noite em que quase fizemos sexo.

— Bliss — ele sussurrou. Era quase um aviso, mas não era exatamente um aviso ainda.

Eu provavelmente deveria dizer a ele o que eu queria, mas a forma como ele estava me beijando, ou, para ser mais exata, a forma como ele não estava me beijando, fazia com que eu me sentisse insegura, desesperada. Ele ainda me queria. Eu disse isso a mim mesma. E acreditei nisso. Quase por completo. Eu só precisava de um pouco mais de reafirmação.

Recuei, e esperei que os olhos dele se abrissem, para que ele me visse. Quando seus olhos se encontraram com os meus, eles estavam um pouco límpidos demais, focados demais para o meu gosto. Estiquei a mão para baixo e segurei na bainha do meu vestido. Ele emitiu um ruído gutural quando comecei a puxar o vestido para cima, mas não parei até que tivesse subido completamente o vestido. A princípio, os seus olhos permaneceram resolutos nos meus, mas, quando me inclinei para a frente, tomando cuidado para fazer com que o meu peito roçasse no dele, ele olhou para baixo.

Ele tomando o ar: aquilo era exatamente o que eu estava esperando.

O sutiã preto tomara que caia estava tão apertado que eu estava mostrando a divisão entre os seios da melhor forma como eu já tinha feito na minha vida ou viria a fazer. E a calcinha, bem, mal passava de um pedaço de pano.

— Bliss — dessa vez, havia ali, definitivamente, um tom de aviso. — Você está superestimando o meu autocontrole.

— Ah, eu tenho quase certeza de que estimei o seu controle com perfeição.

Eu me inclinei para a frente até que estava pressionando com força os quadris dele. Meus lábios pairavam sobre os dele, esperando que ele me beijasse. Eu havia me cansado de ficar na ofensiva. Era a vez dele de vir até mim.

Como sempre, só a expectativa era o suficiente para me matar. O olhar contemplativo dele se movia com rapidez entre meus olhos e minha boca, e agora que eu estava apenas de lingerie, suas mãos encontravam a minha pele, não importando onde ele as colocasse. Uma delas estava, naquele momento, fazendo arder a parte inferior das minhas costas, e a outra estava fechada em punho nos meus cabelos. Embalei os meus quadris junto aos dele, e a pegada da mão que ele tinha nos meus cabelos ficou mais forte.

— Bliss.

A resposta dele saiu engasgada, quase como se ele estivesse sentindo dor. Abri um sorriso. Isso era meio que divertido.

— Garrick — respondi, com os olhos arregalados e com o ar mais inocente que eu conseguia colocar neles. — Isso é o oposto de lento.

— Soltei o ar, oscilando para a frente de modo que meu lábio inferior raspasse no dele. Eu o esfreguei no dele, fazendo isso o mais lentamente possível. — Eu acho que já fomos lentos demais.

O braço dele nas minhas costas me puxou mais para junto dele, até que meu peito estivesse pressionado no dele. Ele ainda estava vestindo a camisa. Eu queria que não estivesse.

— O que isso quer dizer?

Ah, ali estava aquela expressão que eu adorava — olhos escuros, um pouco fora de foco.

— Quer dizer... — falei, enquanto minhas mãos encontravam a parte de baixo da camisa dele — ... que eu cansei de ir devagar.

Puxei a camisa dele e seus braços acompanharam os movimentos automaticamente, permitindo que eu puxasse a camisa pela cabeça dele antes que as suas mãos voltassem para as posições em que estavam antes. Nossos peitos se encontraram, pele contra pele deslizando, e ele gemeu. Ele disse:

— Eu vou precisar que você seja clara quanto a isso que você está dizendo agorinha mesmo, Bliss.

Tudo bem, estava na hora de simplesmente falar. E sem eufemismos como "besta de duas costas", ou "tango na horizontal" ou qualquer coisa ridícula. Sexo. Se eu fosse fazer sexo, com certeza eu poderia muito bem falar a palavra. Eu me inclinei na direção dele, e beijei-o para criar coragem. Para o inferno com essa de fazer com que ele viesse até mim. Isso ia demorar muito. Quando recuei, os lábios dele tentaram me acompanhar. Eu o provoquei com mais um beijo rápido e disse:

— Faz amor comigo?

Tudo nele ficou tenso... as suas mãos que estavam em mim, a sua bela face, e o seu corpo sob o meu.

— Bliss, você não tem que fazer nada que você não queria fazer por mim.

— O que tem essa noite que faz parecer com que eu estivesse sendo forçada a fazer alguma coisa? Para falar a verdade, eu sinto como se eu estivesse forçando você.

Seus lábios colidiram com os meus — dentes e línguas e calor. Era apenas o bastante para fazer com que eu tremesse de desejo, e então, acabou.

Garrick estava arfando quando ele me respondeu:

— Você não está me forçando a fazer nada. Eu só quero que você tenha certeza. Você pode me mandar parar a qualquer momento. — Os lábios dele se abriram em um largo sorriso. — Você não precisa inventar um novo animal de estimação.

Aquele sorriso largo... era tão irritante e sexy ao mesmo tempo!

Coloquei as mãos nos ombros dele e empurrei-o para longe, me levantando.

— Se você for continuar tentando me convencer a não fazer isso...

Eu não tinha nem mesmo dado um passo completo para longe dele antes que ele me agarrasse e me girasse de modo que minhas costas fossem de encontro ao colchão. O meu hálito saiu dos meus pulmões apressado, e a visão dele me espreitando acima de mim acendia o fogo abaixo da minha barriga.

— Eu não estava tentando convencer você a desistir de nada. Eu estava tentando ser cavalheiro.

Até parece! Ele havia tentado usar a desculpa de que estava sendo cavalheiro naquela primeira noite também. Ele ainda pairava em cima de mim, e enganchei os dedos nos ganchos da calça jeans dele, e puxei-o para baixo, para cima de mim.

— Faz um favor pra mim? Seja um cavalheiro amanhã?

Eu tinha quase certeza de que ele tinha dito "Sim, senhora", mas então ele estava me beijando e eu não estava nem aí pra isso.

CAPÍTULO 28

Ele me beijou com ardor, e por tempo suficiente para que eu pudesse sentir mais o seu gosto na minha boca do que o meu próprio gosto. Afundei as unhas em seus ombros, porque eu havia descoberto que todas as vezes em que eu fazia isso, ele pressionava seus quadris com mais força junto aos meus.

Se ele não tomasse cuidado, eu tiraria sangue dele em breve.

Suas mãos passavam lisas subindo pelas laterais do meu corpo, fazendo com que eu sentisse calafrios quando ele passava pelos pontos sensíveis. E, por fim, ele levou uma das mãos às minhas costas, na direção do fecho do meu sutiã.

Seus lábios deixaram os meus e foram para a curva do meu pescoço, e o queixo dele, novamente coberto por uma barba rala por fazer, roçou meus seios.

Eu me arqueei para cima, em direção a ele, no mesmo instante em que as tiras do meu sutiã se soltaram. O ar frio endureceu os meus mamilos, que pareciam pequenos botões em flor, e eu ansiava pelo toque dele. Ele disse uma vez que poderíamos possuir um ao outro, e eu não queria nada mais do que isso naquele momento. Garrick beijou o espaço entre meus seios, raspando as bochechas por eles. Afundei as unhas nele de novo, e seus quadris me pressionaram para baixo ao mesmo tempo em que ele pegou um dos seios na mão e o outro com a boca. Alguma coisa deflagrou sob a minha pele, e soltei um gemido, indo para junto dele em resposta.

Ele mexia em um dos mamilos entre seus dedos, e o outro, ele apertava de leve entre seus dentes, e eu podia sentir a escuridão se insinuando na minha visão.

Palavras começaram a sair em fluxo da minha boca, algumas familiares, outras, não. As últimas foram "Eu te amo".

Ele ergueu-se e me soltou com um largo sorriso.

— Se eu soubesse que seria fácil assim fazer com que você admitisse como se sente em relação a mim, eu teria feito isso há tempos.

Meu cérebro estava além de responder isso com palavras. Em vez de falar alguma coisa, as minhas mãos encontraram o cinto dele. Desafivelei o cinto e abri o botão da calça jeans dele.

O sorriso insolente dele agora não estava mais lá.

Devagar, puxei o zíper dele para baixo, e o simples som disso fez com que um gemido se erguesse na minha garganta. Empurrei a calça jeans e a boxer para baixo juntas. Quando ele recuou para se livrar por completo da calça, aproveitei o momento para descer a minha calcinha e tirá-la, e pegar uma camisinha na gaveta.

Quando ele ergueu o olhar, ele ficou paralisado por um segundo, em choque, como se ele tivesse acabado de se dar conta, agorinha mesmo, de quão sério eu estava falando. Ele balançou a cabeça para se livrar desse pensamento e abaixou-se para um beijo.

— Você sabe que eu amo você, não sabe?

— Sei, sim — falei.

Eu não achava que conseguiria ter feito isso se não soubesse que ele me amava. Era disso que eu precisava. Era isso que tornava o medo e o nervosismo suportáveis.

Ele me beijou de novo, e seus dedos encontraram a minha entrada. Ele deslizou dois dedos para dentro de mim ao mesmo tempo em que sua língua se encontrava com a minha. Ele começou devagar, e depois seus beijos se aceleraram, unhei-o de leve e fui recompensada com ele curvando os dedos dentro de mim.

Soltei um gemido, interrompendo nosso beijo.

Seus lábios voltaram para meu peito, me beijando de leve, como plumas, em todos os lugares onde ele conseguia alcançar. Eu podia sentir uma pressão formando-se bem baixo no meu âmago, e puxei a cabeça dele para trás e para cima, para junto da minha. Ele pressionou a testa na minha, nossos lábios se tocando, mas não se beijando, então a palma de sua mão me pressionou lá embaixo, e uma explosão acendeu--se sob a minha pele. Como uma série de fogos de artifício, meu mundo foi detonado em explosões de luz e de cor.

O mundo estava se juntando e se desfazendo em pedaços atrás dos meus olhos cerrados, e minha boca ainda estava aberta em um grito silencioso. Senti o beijo dele debaixo da minha orelha, e estiquei a mão na direção dele, envolvendo a sua cintura com meus braços.

O sexo dele me pressionava, e meu corpo inteiro estremeceu em resposta.

— Você tem certeza? — ele me perguntou de novo.

O meu cérebro não soube como pegar leve no momento, então eu disse:

— Por favor, ah, meu Deus, sim!

Houve uma sensação de incômodo, não agradável, mas o resto do meu corpo estava tão relaxado para realmente pensar muito na dor. Ele me beijou enquanto me penetrava e depois se soltou com um gemido.

— Ah, meu Deus, Bliss.

O corpo inteiro do Garrick estava tenso em cima de mim. Eu podia ver as linhas pronunciadas de seus músculos flexionados em seus ombros, nos braços firmados um de cada lado de mim. Eu podia senti-las no peito cálido pressionado junto ao meu. Eu me distraía da dor seguindo aquelas linhas com os olhos e com as mãos.

Depois de uns poucos instantes, ele inspirou fundo e ficou me fitando. Ele me acalmou primeiramente com os lábios, e depois, com sussurros das palavras "amor", "bela" e "perfeita".

Ele ficou completamente imóvel assim que estava dentro de mim, seus lábios colidindo nos meus. Meus braços e minhas pernas pareciam gelatina, então eu apenas me envolvi nele, abraçando-o o mais apertado quanto eu conseguia.

Ele puxou para fora, apenas um pouco, antes de voltar a me penetrar. Exalei o ar com pungência, mordendo o lábio em meio à pontada de dor. Os lábios do Garrick capturaram meu lábio inferior entre os dele, confortante, com cuidado.

— Você está bem? — ele me perguntou. Assenti, não tendo certeza de que conseguiria falar. — Você precisa que eu pare?

Balancei a cabeça em negativa. Aquilo não era nem um pouco o que eu queria. Eu queria que ele sentisse o que eu havia sentido mais cedo. Eu queria abraçá-lo enquanto nos separávamos, tê-lo em meus braços. Ele repetiu a ação, e, dessa vez, não foi tanto dor quanto desconforto.

— Continue — sussurrei.

Garrick enterrou a cabeça na curva do meu pescoço, arrastando a boca pelo meu ponto de pulsação enquanto entrava e saía novamente. Na vez seguinte eu estava consciente o bastante para inclinar os quadris para cima, de modo a encontrá-lo no meio do caminho. Sua resposta foi um gemido que eu senti descer até os dedos dos meus pés.

A boca dele memorizou a pele do meu pescoço e dos meus ombros enquanto desenvolvíamos um ritmo entre nós. Algo empurrava e puxava dentro de mim, e, a cada vez em que nossas peles se conectavam, eu sentia o prazer aumentar um pouco mais. A mão dele envolveu em concha o meu seio, e senti o prazer descer serpeando pela minha cintura até o lugar onde os nossos corpos se encontravam.

Envolvi os quadris dele com as minhas pernas e puxei-o mais para dentro de mim. O ritmo dele vacilou por um instante, ele com os olhos cerrados, e estava belo enquanto tentava se conter.

O meu mundo inteiro se expandia no círculo dos braços dele.

Ele começou a se mover de novo depois de um instante, e dessa vez esticou uma das mãos entre nós. Eu haveria de me preocupar com como ele ficou tão bom nisso depois, mas, por ora, eu estava ocupada demais colhendo os benefícios. Eu estava tão perto, e todos os músculos em mim estavam tensíssimos. Afundei as unhas no ombro dele por mais uma vez, o meu favorito novo truque, e os quadris dele foram com tudo para a frente.

— Bliss — ele disse, com a voz rascada.

Eu apenas envolvi as minhas pernas mais apertadas nele, e movi os quadris para cima. A cabeça dele foi até o meu pescoço, seu hálito quente na minha pele. Ele me penetrou novamente com tanta força que meu corpo inteiro se mexeu e o prazer jorrou por ele tão rápido que a minha visão ficou cheia de pontinhos. O corpo dele ficou imóvel junto ao meu, e o rosto dele ainda estava pressionado junto ao meu pescoço, e os braços dele me aninhavam. Ergui o rosto dele junto ao meu, observando enquanto os olhos dele se fechavam por completo e a boca dele se abria, e o seu corpo inteiro estremecia sobre o meu.

Quando os olhos dele se abriram, eles ainda estavam escuros, mas focados em mim. Ele pressionou um beijo na minha testa, e depois em cada bochecha, e por fim, nos meus lábios.

— Eu amo você — nós dissemos, juntos.

Ele deslizou para fora de mim e, imediatamente, estiquei a mão na direção dele, sentindo a sua falta, sentindo falta da forma como nos encaixávamos juntos. Ele se pôs ao meu lado e me tomou em seus braços. Deitei a cabeça no peito dele, onde eu podia ouvir as batidas de seu coração, que eram tão rápidas quanto as minhas. Ele entrelaçou nossos dedos, e pressionou a bochecha em cima dos meus cabelos.

Era perfeito. Hoje era um dia cheio de momentos perfeitos.

E eu não sabia ao certo se o que eu ia dizer em seguida tornaria isso mais perfeito ou se arruinaria tudo, mas descobri que não pensar demais funcionava bem com Garrick. Quando minha respiração acalmou, falei:

— Eu procurei uns apartamentos na Filadélfia.

— É mesmo?

Assenti, ainda sem saber ao certo o que ele estava pensando.

— Eu sei que nós ainda não conversamos sobre isso — comecei a falar. — Mas andei pensando um pouco, e decidi que quero me focar na atuação, e já que não tenho como bancar Nova York, a Filadélfia me parece um lugar muito bom. Quero dizer, ainda não fiz meus planos finais. Eu só fiz uma pesquisa. Sabe, olhei alguns teatros, audições futuras, apartamentos e empregos de dia, esse tipo de coisa. Mas se você não acha que essa é uma boa ideia, eu não tenho que...

— Pode ir parando aí, sua garota dos papos de gente louca!

Aquela foi uma ideia horrível. Eu tinha acabado de arruinar um momento ótimo... como eu sempre fazia. Falando sério, eu ia inventar algum tipo de máquina para me dar choques ou socar minha cara sempre que eu fizesse merdas como essa. Seria como um condicionamento, e talvez, em algum momento, eu fosse aprender a calar a porcaria da minha boca. A mão dele encontrou meu maxilar e inclinou meu rosto para cima, em direção ao dele. Seu polegar passou raspando no meu lábio e seus olhos fitavam os meus.

— Eu acho que você ia amar a Filadélfia — ele me disse.

A luz estava brilhando novamente, na forma do sorriso dele, e relaxei em seus braços.

— Mas não se preocupe com isso de procurar apartamentos. Você pode ficar comigo por um tempo enquanto procura um apartamento para você.

O rosto dele tinha uma expressão bem elaborada: as linhas suaves, os lábios fechados em um quase sorriso. Engoli em seco o nó na minha garganta e disse:

— É mesmo?

— E se você não encontrar um lugar de que você goste, pode decidir apenas ficar comigo permanentemente.

Estiquei a mão para cima, e rocei os cabelos dele para trás, tirando-os de sua testa, de modo que eu pudesse ver os seus olhos.

— Você está me pedindo para ir morar com você? Eu não sei dizer. Geralmente você é mais direto do que isso.

Ele sorriu.

— Isso foi a minha tentativa de pedir que você viesse morar comigo sem assustar você. Funcionou?

Eu disse:

— Eu não estou assustada.

E eu estava falando sério.

EPÍLOGO

Seis Meses Depois

Garrick

Meus olhos sempre eram atraídos para os de Bliss durante essa cena. Ela estava adorável e cheia de alegria, e eu precisava de todo o meu foco para não ir correndo até ela. Nossa diretora havia escrito a sua própria adaptação de *Orgulho e Preconceito,* e eu duvidava que ela aprovaria que eu acrescentasse a minha própria adaptação, em que Bingley e Elizabeth terminavam juntos, em vez de ela ficar com aquele ranzinza do Sr. Darcy. Meus olhos e os de Bliss se encontraram e, mesmo que supostamente eu devesse adular a irmã da personagem dela, o meu personagem era a última coisa que eu tinha em mente. Nós seguimos para a formação de uma dança em que estávamos constantemente nos mexendo e girando. Todas as vezes em que eu e a Bliss passávamos um pelo outro, nossos olhos se encontravam, nossas mãos roçavam uma na outra e eu xingava o diretor que não me escolheu para ser o Darcy. Eu poderia ser ranzinza.

Imediatamente, após a subida dos atores ao palco depois do espetáculo para receber os aplausos, encontrei-a nos bastidores e puxei-a para os meus braços.

— Garrick — ela suspirou no meu abraço. Suas palavras vibravam no meu peito, e eu a abracei ainda mais forte.

Sussurrei ao pé do ouvido dela:

— Você deve deixar que eu lhe diga como eu a admiro e a amo.

Ela riu.

— Você diz isso todas as noites depois do espetáculo.

Recuei e minha bochecha deslizou junto à dela. Os cachos de cabelos em volta de seu rosto faziam cócegas na minha testa.

— O que eu posso dizer? Sou persistente.

Ela cantarolou, com os lábios bem apertados, juntos um no outro.

— Persistente? Eu diria sem imaginação. Você poderia pelo menos ter uma fala originalmente sua.

Tracei com os dedos as costas de Bliss. Eu podia sentir o plástico que mantinha firme o seu espartilho. Meu Deus, como eu gostaria de vê-la com o espartilho! Só com ele!

— Você quer algo original, amor?

— Quero. Amanhã, espero pela melhor fala que o senhor tiver, Senhor Taylor. Mas agora, eu preciso me vestir.

Bliss afastou-se de mim e seguiu em direção ao camarim das mulheres. Ela olhou para mim por cima do ombro, e eu senti aquele olhar passando por todo o meu corpo. Diversas coisas originais passaram pela minha cabeça, nenhuma das quais eu poderia dizer em voz alta. O largo sorriso de Bliss parecia dizer que ela sabia exatamente no que eu estava pensando.

— Anda logo — falei.

— A paciência é uma virtude, Senhor Taylor.

Ela sabia que esse nome me deixava louco. Fazia com que eu me sentisse professor dela de novo, o que era irritante e sexy pra caramba ao mesmo tempo. Eu ia dizer isso, mas ela já havia se enfiado no camarim.

Demorei um instante para respirar e desanuviar a cabeça.

À noite, o meu plano teria início nesta noite. Provavelmente eu acabaria falando sem aviso prévio. E, com a tendência da Bliss de entrar em pânico, esse definitivamente não era o caminho a ser seguido.

Tirei meu figurino e pendurei-o para a equipe de manutenção o mais rápido que consegui. Amanhã seria nosso dia de folga, o que significava que era dia de lavar roupa. O que era uma coisa boa também porque meu figurino definitivamente já havia cheirado melhor. Alguns colegas de elenco nos convidaram para sairmos e tomarmos uns drinques, mas eu implorei para não ir. Eu queria Bliss totalmente para mim esta noite.

Eu estava vestido e esperando por ela em tempo recorde. Quando a primeira garota saiu, ela riu e balançou a cabeça, inclinou-se para trás e disse:

— Bliss, o seu namorado está praticamente salivando aqui fora.

Namorado. Eu ainda não estava totalmente acostumado com isso. Até mesmo depois que Bliss se formou, era estranho quando as pessoas nos viam juntos. Era legal termos algo novo na Filadélfia. Não precisávamos nos esconder.

Todas as garotas que saíam dali abriam um sorriso de reconhecimento para mim, mas Bliss estava demorando, até mesmo mais do que o normal.

— Bliss! — eu gritei pela porta. — Você está tentando me torturar?

A porta oscilou e abriu-se mais uma vez, uma outra atriz com sorriso afetado, mas não a Bliss. Soltei um suspiro. A garota disse:

— Tenho quase certeza de que sim.

Soltei um gemido, e pressionei o rosto na parede. A porta abriu-se e eu nem mesmo me dei ao trabalho de olhar.

— Vá em frente, garoto apaixonado. Eu sou a última.

Eu me virei e me deparei com Alice, a mulher mais velha que fazia o papel da Sra. Bennett na peça. Sorri e estiquei a mão para abrir a porta. Alice riu.

— Boa sorte!

Eu não pensei nada do "boa sorte" dela até que entrei no camarim. Minha nossa!!! Bliss ainda usava o espartilho, sentada em uma cadeira, me encarando através do espelho. Seus seios estavam ressaltados, e seus olhos estavam escuros enquanto ela olhava para mim. Ela esticou uma das mãos para cima e começou a puxar os bobes dos cabelos, que caíram em volta de seus ombros, e minha boca ficou seca.

Ela estava estonteante.

— Eu achei que tivesse lhe dito para ser paciente.

Forcei meus pés a se mexerem, e fui caminhando atrás dela. Estiquei a mão e ajudei-a com os bobes de cabelo. Meu Deus, como eu amo os cabelos dela! Enrolei um dos cachos no meu dedo e disse:

— Eu sou bom nisso de ser paciente. Eu só não sou bom nisso de ficar longe de você. Com certeza você sabe disso a essa altura.

Ela abriu um largo sorriso e reclinou a cabeça nas minhas mãos.

— Eu acho que isso ficou óbvio desde o começo.

Baixei as mãos dos cabelos dela para seu pescoço. Fiz pressão para baixo com os polegares, massageando com gentileza. Os olhos de Bliss tremeluziram e se fecharam. Seus lábios se abriram. Ela não fazia ideia de quão sexy ela estava. Naquele espartilho, ela parecia uma garota *pinup* da década de 1950.

Eu me inclinei para baixo e pressionei os lábios na curva do ombro dela. De alguma forma, a despeito de estar no palco, sob o calor de luzes durante várias horas, ela ainda estava com um cheiro divino. Arrastei a boca para cima no pescoço dela, naquele lugar abaixo da orelha que a leva à loucura.

Ela soltou o ar, como se o meu beijo tivesse puxado todo o ar para fora de seus pulmões. Sua mão se curvou em volta da minha nuca, me puxando mais para perto dela. Eu sorri junto a sua pele.

Ela disse:

— Você me enfeitiçou.

Eu ri e tracejei com um dedo ao longo dos belos ossos de sua clavícula. Eu podia mapear a arquitetura de seu corpo durante dias e nunca ficar entediado.

— Corpo e alma? — perguntei, citando a peça.

Abri a boca e senti o gosto da pele dela. Estava quase tão deliciosa quanto o gemido que ela soltou em seguida.

— Definitivamente — disse ela.

— Quem não está sendo original agora?

Alguém batendo à porta quebrou o encanto entre nós dois. Era o Benji, o Diretor de cena, enfiou a cabeça dentro da sala. Eu me virei de modo a bloquear Bliss e aquele espartilho corruptor de cérebros.

— Vocês estão prontos? Eu vou trancar aqui.

— Desculpe-me, Ben. Sairemos em um segundo. — A expressão dele era cética. — Eu prometo. Dois minutos.

Assim que ele fechou a porta, Bliss levantou-se. Tive que fechar os olhos para me impedir de tocá-la. Aquele espartilho... meu Deus! Mantive os olhos fechados porque esse era o único jeito de conseguirmos cair fora dali em dois minutos. Mesmo assim, ouvi-la trocando de roupa era uma tortura. Todos os farfalhares de tecidos e zíperes traziam uma imagem bem vívida à minha mente. Embora eu não pudesse vê-la, podia sentir a sua presença, especialmente quando ela ficou na minha frente.

Sua mão se curvou em volta do meu pescoço, inclinando a minha cabeça para baixo. Mantive os olhos fechados, mas o calor de seu hálito acariciava meu rosto.

— Vamos para casa, *Senhor Taylor.*

Esse nome! Abri os olhos, e ela estava com um sorriso presunçoso no rosto. Quando dois querem, dois brincam.

— Ah, Senhorita Edwards, eu acho que você merece ir para a detenção. — Ela estreitou os olhos. — Ou talvez uma leve punição.

Senti tanto prazer ao ver o vermelho subir às bochechas dela...

— Você não faria isso!

Em vez de responder, eu me curvei e a puxei para cima do meu ombro. Ela soltou um gritinho agudo e se agarrou nas minhas costas.

— Garrick!

— Calada, Senhorita Edwards. Eu vou levá-la para casa.

Benji estava esperando, impaciente, perto da porta dos bastidores. O seu cenho ficou ainda mais franzido quando ele nos viu. Ele disse:

— Em primeiro lugar, foram três minutos. Eu contei. Em segundo lugar, vocês são repulsivos. Parece que estou vendo um daqueles filmes românticos, melosos e cafonas que passam na TV.

Eu apenas ri e disse "boa noite" a ele. Bliss só fez biquinho logo de cara, porém, quando eu a mantive em cima dos meus ombros até mesmo enquanto estávamos saindo do edifício, ela começou a lutar para descer.

— Ok, Garrick, você já provou o seu ponto.

— Eu não sei do que você está falando. Não tenho ponto nenhum a ser provado. Eu só estou carregando você.

— Bem, você se divertiu. Agora me põe no chão.

Parei por um instante e fingi que estava pensando. Aproveitei a oportunidade para deslizar a minha mão pela parte de trás da sua coxa.

Respondi:

— Na minha opinião, há muita diversão ainda pela frente.

Comecei a andar novamente, e ou Bliss estava paralisada, ou estava realmente interessada em onde a minha mão iria em seguida, porque ela não se mexeu de novo.

Até que eu comecei a descer as escadas em direção ao metrô, e então ela começou com os chutes, e deu um rápido beliscão de aviso na lateral do meu corpo.

— Garrick, eu me recuso a deixar que você me carregue para dentro do metrô. Me põe no chão, agora!

Eu podia visualizar o rosto dela vermelho de raiva, e de repente, eu queria vê-lo. As bochechas ruborizadas. Olhos estreitados. Lábios franzidos. Quando cheguei à parte de baixo das escadas, eu a puxei, permitindo que seu corpo deslizasse para baixo junto ao meu. Mantive as mãos em sua cintura para desacelerar a sua descida. Os movimentos do seu corpo junto ao meu eram divinos. Ela sugou o ar e, quando os nossos rostos estavam no mesmo nível, os olhos dela não estavam estreitados, mas sim, fechados. Seus lábios não estavam franzidos, mas seu lábio inferior estava preso entre os dentes, de um jeito que me deixava com a boca seca. As suas bochechas ainda estavam ruborizadas, mas eu tinha a sensação de que não se tratava mais de raiva.

— Você fez isso de propósito — disse ela.

Eu ri, e o som saiu rascado. Ela não era a única afetada pela nossa proximidade.

— Definitivamente eu fiz isso de propósito. Para falar a verdade, eu acho que nós deveríamos transformar isso em um ritual pós-espetáculo.

Ela balançou a cabeça em negativa, e sorriu, mas não disse "não". Até mesmo sob as luzes difusas da estação de metrô, ela estava radiante. Eu ainda não conseguia acreditar que eu podia tocá-la. Que ninguém haveria de nos separar. Que não havia nada para nos meter em encrenca. Eu estava tentado a anunciar o meu amor por ela para todos os outros passageiros, mas não queria quebrar esse momento. Eu gostava do modo silencioso como ela estava olhando para mim, com os olhos cheios de mais além do que apenas desejo. Ela me fazia feliz, e eu tinha esperanças de que estivesse vendo a mesma coisa nela nesse exato momento. De repente, fiquei excitado com a ideia de voltar para casa e colocar meu plano em ação.

Enterrei os dedos em seus cabelos e puxei-a para mim, para um beijo. Suas mãos apertaram-se em meus ombros, suas unhas pressionavam minha pele. Eu me demorei saboreando sua boca, perdendo-me enquanto esperávamos pelo trem.

* * *

Assim que chegamos em casa, eu disse à Bliss que ia tomar um banho.

Os domingos eram dias de duas apresentações no teatro, então certamente eu precisava de um banho. Deixei que ela entrasse no banheiro para escovar os dentes. Esperei que ela abrisse a torneira, e então, entrei em ação. Achei o brinquedo de penas da Hamlet (o único motivo pelo qual ela chegaria perto da Bliss de livre e espontânea vontade) e escondi-o debaixo da cama. Em seguida, fui até o closet e achei o bolso do casaco do terno onde eu havia escondido o anel. Abri a caixa para olhar para ele mais uma vez.

Não era lá grande coisa. Afinal, eu era apenas um ator. Mas, de qualquer forma, Bliss não costumava usar muitas joias. O anel era simples e brilhante, e eu esperava que ela fosse amá-lo tanto quanto eu a amava. Uma sensação de algo estourando encheu o meu estômago como aqueles doces bobos que a Bliss amava.

E se eu estivesse forçando as coisas rápido demais para ela?

Não. Não, eu tinha pensado bem nisso. Assim era a melhor maneira. Abri a gaveta de cima do criado-mudo e deslizei a caixa do anel para dentro dela, nos fundos. A água no banheiro foi fechada e eu voltei ao closet, tirando a camiseta. Joguei-a na cesta de roupa suja ao mesmo tempo em que Bliss entrou no quarto.

Ela veio por trás de mim e colocou uma das mãos nas minhas costas nuas. Ela pressionou um beijinho no meu ombro e pediu:

— Pega a Hamlet para mim antes de você tomar banho, por favor?

Sorri e assenti.

Bliss estava tão determinada a fazer com que Hamlet gostasse dela que ela brincava com a gata durante pelo menos meia hora antes de ir dormir todas as noites. Hamlet ficaria por perto pelo tempo que Bliss mexesse no ar aquele brinquedo com penas, mas, no minuto em que tentasse tocá-la, ela caía fora.

Encontrei Hamlet na cozinha, escondendo-se debaixo da mesa. Estiquei a mão para baixo, para pegá-la, e ela enfiou a cabeça nos meus dedos, ronronando. Peguei-a ao mesmo tempo em que Bliss me perguntou:

— Querido, você viu o brinquedo da gata?

Entrei no quarto e coloquei Hamlet em cima da cama. Ela acocorou-se e ficou olhando com desconfiança para Bliss.

— Onde foi que você o viu da última vez? — perguntei a ela.

— Achei que o tivesse deixado na penteadeira, mas não estou conseguindo encontrá-lo.

Fiz carinho em Hamlet uma vez para mantê-la calma, e então dei um beijo rápido na bochecha de Bliss.

— Eu não sei, doçura, você tem certeza de que não o deixou em algum outro lugar?

Ela suspirou e começou a olhar em outros lugares em volta do quarto. Eu me virei e escondi o sorriso ao sair. Eu me enfiei no banheiro e abri o chuveiro. Esperei alguns segundos, voltei para o corredor e gritei:

— Bliss?

— Sim?

— Dá uma olhada nas gavetas do criado-mudo! Ela estava brincando com ele no meio da noite e eu acho que me lembro de ter pego o brinquedo e colocado lá.

— Ok!

Através da porta aberta, fiquei olhando enquanto ela dava a volta na beirada da cama. Andei no lugar onde estava por alguns segundos, fazendo mais barulho com os pés do que o necessário, e depois abri e fechei a porta, como se tivesse voltado para dentro do banheiro. Então eu me escondi no vão entre a parte de trás da porta do quarto e a parede, de onde eu simplesmente podia ver a fresta entre as dobradiças da porta. Ela puxou e abriu a gaveta de cima do criado-mudo, e as batidas do meu coração eram como as de um grande tambor. Eu nem mesmo sei quando foi que meu coração começou a bater com tamanha intensidade, mas agora isso era tudo que eu conseguia ouvir.

Não era como se eu estivesse pedindo para ela se casar comigo agora. Eu simplesmente conhecia Bliss, e sabia que minha garota tinha uma tendência a entrar em pânico. Eu estava dando a ela uma grande e muito óbvia dica, para que ela tivesse tempo de se ajustar antes de eu realmente pedi-la em casamento. Então, dentro de alguns poucos meses, quando eu achasse que ela havia se acostumado com a ideia, eu a pediria em casamento de verdade.

De qualquer forma, esse era o plano. Supostamente isso deveria ser simples, mas parecia... complicado. De súbito, pensei em todas as mil maneiras como poderia dar errado. E se ela surtasse? E se ela saísse correndo como ela fez na nossa primeira noite juntos? Se ela saísse correndo, será que ela voltaria ao Texas? Ou será que ela iria até Cade, que morava no norte da Filadélfia? Ele a deixaria ficar por lá, até que ela resolvesse as coisas... e se algo acontecesse entre eles?

E se ela me dissesse um belo de um "não"? Tudo estava bom agorinha mesmo. Perfeito, para falar a verdade. E se com isso eu estivesse arruinando tudo?

Eu estava tão preso em minhas previsões de catástrofes que nem mesmo vi o momento em que ela encontrou a caixa. Ouvi quando ela a abriu, e ouvi quando ela exalou o ar e disse:

— Ah, meu Deus!

Onde antes a minha boca estava seca, agora eu não conseguia engolir a saliva com rapidez o suficiente. Minhas mãos tremiam junto à porta. Ela estava simplesmente lá parada, de costas para mim. Eu não podia ver seu rosto. Tudo o que eu conseguia ver era a sua coluna tensa e ereta. Ela oscilou um pouco.

E se ela desmaiasse? E se eu a assustasse tanto a ponto de ela perder a consciência? Comecei a pensar em maneiras de explicar isso.

Eu estava guardando o anel para um amigo? Era um objeto cênico?

Era... Era.. merda, eu não sei. Eu podia apenas pedir desculpas. Dizer a ela que sabia que era rápido demais. Esperei que ela fizesse alguma coisa, que ela fosse... gritar, sair correndo, chorar, desmaiar. Qualquer coisa seria melhor do que sua imobilidade. Eu deveria simplesmente ter sido honesto com ela. Eu não era bom nesse tipo de coisa. Eu dizia o que pensava, sem planos, sem manipulação.

Por fim, quando achei que meu corpo fosse cair aos pedaços só por causa do estresse, ela se virou. Ela ficou de frente para a cama, e eu via apenas o seu perfil, mas ela estava mordendo o lábio. O que isso queria dizer? Será que ela só estava pensando? Pensando em uma maneira de sair dessa?

Então, devagar, como o nascer do sol espreitando no horizonte, ela sorriu. Ela fechou a caixa. Ela não gritou. Não saiu correndo. Não desmaiou. Ela pode ter chorado um pouco.

Porém, na maior parte... ela dançou.

Ela se movia para a frente e para trás e sorria da mesma forma como havia sorrido quando a lista do elenco de *Fedra* foi divulgada. Ela se perdeu da mesma maneira como havia feito depois da noite de abertura, logo antes de fazermos amor pela primeira vez.

Talvez eu não tivesse que esperar alguns meses no fim das contas.

Ela disse que queria a minha melhor fala amanhã, depois do espetáculo, e agora eu sabia qual seria essa fala.

AGRADECIMENTOS

Escrever este livro foi algo totalmente vertiginoso. Eu tive a ideia, e era diferente de tudo o que eu já havia escrito antes. Minha irmã me encorajou a escrevê-lo, e então, em apenas uma questão de semanas, eu tinha um primeiro rascunho. A decisão de publicá-lo sem editora foi um lance similarmente caótico e rápido. Em meio a tudo isso, eu tenho algumas pessoas a quem agradecer.

Em primeiro lugar, tenho que agradecer à minha mãe, que instilou em mim um amor pelos livros. Obrigada por ser minha professora e minha amiga. Obrigada por revisar praticamente tudo o que escrevo. Obrigada por sempre acreditar que eu era talentosa o bastante a ponto de transformar meus sonhos em realidade. Ao meu pai... eu sei que minhas escolhas o deixam estressado. Nós discutimos bastante sobre muitas delas, mas você sempre esteve por perto quando eu precisei de você. Nesse caso, não foi diferente, então, obrigada! Às minhas irmãs, obrigada por amarem livros como eu, por me ouvirem tagarelar sobre minhas ideias, por serem entusiastas em relação a meu trabalho quando eu fico insegura, e por aguentarem o redemoinho vertiginoso. Eu amo vocês.

Obrigada à Lindsay e à Michelle, as minhas primeiras leitoras. Não acho que eu teria terminado este livro nunca se vocês duas não o tivessem adorado tanto quanto o adoraram. Obrigada à Ana por ser a minha líder de torcida. Você sabe que eu sempre vou retribuir o favor. E obrigada à Heather por responder à minha pletora de perguntas sobre publicação de livros sem editora.

E, por fim, mas não menos importante, obrigada a vocês por lerem! Obrigada às blogueiras que ajudaram a espalhar as notícias sobre meu livro, especialmente as garotas do *YA Sisterhood*. Obrigada, obrigada, mil vezes obrigada!